Zen shiatsu

EQUILÍBRIO ENERGÉTICO E CONSCIÊNCIA DO CORPO

MÁRIO JAHARA-PRADIPTO

ILUSTRAÇÕES DE CÉSAR LOBO

summus editorial

Dados de Catalogação na Publicação (CIP) Internacional (Câmara Brasileira do Livro, SP, Brasil)

Jahara-Pradipto, Mário, 1957-

J24z   Zen shiatsu : equilíbrio energético e consciência do corpo / Mário Jahara-Pradipto. — São Paulo: Summus, 1986.

Bibliografia.
ISBN 978-65-5549-031-2

1. Espírito e corpo 2. Relaxamento 3. Shiatsu I. Título. II. Equilíbrio energético e consciência do corpo

86-0394

CDD-615.822
-615.851
NLM-WB 537

Índices para catálogo sistemático:

1. Corpo e mente : Terapias   615.851
2. Relaxamento : Massagens terapêuticas   615.822
3. Shiatsu : Massagem terapêutica   615.822

Compre em lugar de fotocopiar.
Cada real que você dá por um livro recompensa seus autores
e os convida a produzir mais sobre o tema;
incentiva seus editores a encomendar, traduzir e publicar outras
obras sobre o assunto;
e paga aos livreiros por estocar e levar até você livros
para a sua informação e o seu entretenimento.
Cada real que você dá pela fotocópia não autorizada de um livro
financia o crime
e ajuda a matar a produção intelectual de seu país.

Pela sua amizade, ao meu pai.
Pela sua dedicação e amor, a minha mãe.
Pela inspiração espiritual, a minha avó Virgínia.

As seguintes pessoas contribuíram para a existência deste livro:
Roberto Menna Barreto; Raul Wassermann e Luiz Roberto Malta,
da Summus Editorial; Olga Jahara; Cyntia Dornelis;
João Fernando Coelho; Alcione Antunes;
Harold Dull; e Phil Luttrel.

A todos, muito obrigado.

ZEN SHIATSU
Equilíbrio energético e consciência do corpo
Copyright © 1986 by Mário Jahara-Pradipto
Direitos desta edição reservados por Summus Editorial Ltda.

Capa e ilustrações: **César Lobo**

2ª reimpressão, 2024

Summus Editorial
Departamento editorial
Rua Itapicuru, 613 – 7º andar
05006-000 – São Paulo – SP
Fone: (11) 3872-3322
http://www.summus.com.br
e-mail: summus@summus.com.br

Atendimento ao consumidor
Summus Editorial
Fone: (11) 3865-9890

Vendas por atacado
Fone: (11) 3873-8638
e-mail: vendas@summus.com.br

Impresso no Brasil

Índice

Prefácio 7

Nota Introdutória 9

I. Conceitos Iniciais

Energia — Princípio da Medicina e Terapias Orientais 11
Meridianos e Pontos 13
Medicina Ocidental ou Oriental? 13

SHIATSU

O que é Shiatsu? 15
Shiatsu "Yin" e Shiatsu "Yang" 16
Shiatsu "Frio" e Shiatsu "Quente" 17
Shiatsu e Outras Técnicas Orientais 19
Shiatsu como Meditação 20
Shiatsu, Meditação e Psicoterapia 21
Um Toque de História — do Nei Ching ao Zen Shiatsu 22

ZEN SHIATSU

Zen Shiatsu 23
Princípios que Caracterizam o Zen Shiatsu 24
   1) O meridiano como um todo 24
   2) Alongamento e pressão simultâneos 24
   3) A mão "mãe", ou o shiatsu com as duas mãos 25
   4) Meridianos extras para a prática do shiatsu . 25
   5) Diagnóstico dos meridianos através de alongamentos 26
   6) Importância do "ampuku", ou diagnóstico-terapia da área abdominal (hara) 26
Relação Praticante-Paciente 26
Fundamentos para a Prática do Zen Shiatsu 27
   Postura do Praticante — Como Aplicar as Pressões 27
   A Pressão 28
   Profundidade das Pressões 29
   Partes do Corpo Utilizadas para Exercer as Pressões 30
Tantra Shiatsu e Shiatsu na Água 32

RESPIRAÇÃO E DOR

Respiração 33
A Mecânica da Respiração 34
Respiração Yin e Respiração Yang 35
   Uma Experiência com a Respiração 36
   Exercício para Soltar e Desenvolver a Capacidade Respiratória 36
Respiração no Shiatsu 37
A Função da Dor — A Dor e o Shiatsu 37

INDICAÇÕES E PRECAUÇÕES

Indicações e Possibilidades 38
Precauções 39

II. Principais Pontos (Tsubos) para a circulação energética

Como Achar os Pontos 41
Como Trabalhar os Pontos 42
Duração das Pressões 43
Experiências com os Pontos 43
O Corpo e os Pontos 43
   Nuca e Ombros 43
   As Costas 48
   Sacro e Nádegas 49
   Parte Posterior das Pernas 51
   Pés 51
   Hara (Área Abdominal) 53
O Hara e a Energia Sexual 54
   Pernas 55
   Tórax 57
   Braços e Mãos 57
   Cabeça e Face 58

III. Anatomia, Fisiologia e Shiatsu

SISTEMA ÓSSEO 63

Agrupamentos Ósseos Principais 66
   Esqueleto Axial 66
   Esqueleto Apendicular 68

SISTEMA MUSCULAR 70

Classificação dos Músculos 70
Os Músculos e os Movimentos do Corpo 70
Principais Músculos e Tsubos a Eles Relacionados 71

SISTEMA DIGESTIVO 76

O Tubo Digestivo 76
Os Órgãos Anexos 78

SISTEMA CIRCULATÓRIO 78

Principais Artérias e Veias 79
   Artérias 79
   Veias 82
Sistema Linfático 82

SISTEMA RESPIRATÓRIO 83

SISTEMA URINÁRIO 84

SISTEMA NERVOSO 85

I. Sistema Nervoso Central 86
   Encéfalo 86
   Medula Espinhal 88
II. Sistema Nervoso Periférico 88
   Nervos Cranianos 88
   Nervos Espinhais 90
   Principais Plexos Nervosos 90
Sistema Nervoso Autônomo 90
   Sistema Nervoso Simpático 91
   Sistema Nervoso Parassimpático 91
   O Shiatsu e as Reações Simpáticas e Parassim-
   páticas 94

SISTEMA ENDÓCRINO 96

O Shiatsu e os Sistemas Nervoso e Glandular Endó-
crino 97
   Principais Relações entre Tsubos e os Sistemas
   Nervoso e Glandular Endócrino 98

IV. Como Aplicar
o Zen Shiatsu —
Uma Seqüência Básica

Local para a Prática 99
Horário 99
Roupas 99
Posições do Paciente 100
   Paciente Sentado 100
   Deitado de Barriga para Baixo 102
   Deitado de Barriga para Cima 103
   Deitado de Lado 104

A SEQÜÊNCIA 106

1. Posição Sentada 106
2. Posição de Barriga para Baixo 111
3. Posição de Barriga para Cima 115
   Cabeça e Face 122
4. Posição de Lado 126

V. Alongamentos
dos Meridianos

Recomendações 129
Os Alongamentos 130
   1) Meridianos: Pulmão e Intestino Grosso 130
   2) Meridianos: Estômago e Baço-Pâncreas 131
   3) Meridianos: Coração e Intestino Delgado ... 131
   4) Meridianos: Rim e Bexiga 132
   5) Meridianos: Circulação-Sexo e Triplo Aquecedor 132
   6) Meridianos: Fígado e Vesícula Biliar 133
Alongamentos para Tensão nas Costas 133
   1) Para a Tensão Cervical e Dorsal 134
   2) Para a Tensão Lombar 134
   3) Rotação Lombar 135
   4) Para as Costas Todas — Região Cervical,
   Dorsal e Lombar 135
   5) Outros Alongamentos para a Região Lombar 136
Exercícios de Aquecimento Articular 137
   1) Rotação do Pescoço 137
   2) Rotação dos Ombros 137
   3) Rotação dos Quadris 138

VI. Auto-Shiatsu 139

VII. Diagnóstico
no Zen Shiatsu

Diagnóstico-Terapia do Hara 146
Kyo e Jitsu 146
Tonificação e Sedação 148
Diagnóstico dos Meridianos Através de Alonga-
mentos 149
   Os Alongamentos (diagramas) 150
Outras Formas de Diagnóstico 154
   Áreas Reflexas nas Costas 154
   Diagnóstico da Coluna 154
   Pontos Associados 154
   Pontos de Alarme 155
Meridianos Acoplados 157
Funções dos Meridianos Principais 158
Pequena Circulação de Energia 162
   Vaso de Governo 162
   Vaso de Concepção 163
Kyo e Jitsu nos Meridianos 163
Conclusão do Diagnóstico 167

VIII. Tratamentos Específicos

Desequilíbrios Emocionais 169
Corpo, Energia e Emoções 170
   Raiva 172
   Medo 173
   Mágoa 174
   Preocupação 174
   Excitação e Instabilidade Emocional 175
   Choque Emocional 175
Corpo, Energia e Sexualidade 176
Corpo, Energia e Sintomas 177
   Dor de Cabeça 178
   Dores Menstruais 178
   Dores Lombares 179
   Resfriados 179
   Problemas Digestivos 179

Bibliografia 181

Prefácio

No mundo atual, somos levados a viver de acordo com referências externas a nós. Ao poder, essa engrenagem que aliena o homem, não interessa pessoas conscientes, conhecedoras de si mesmas e, conseqüentemente, questionadoras do sistema. Interessam sim seres massificados, integrados neste sistema criado por interesses pessoais que exploram a pessoa humana, desrespeitando-a nos seus direitos.

Dentro desta sociedade massificada, surgem os trabalhos que têm como objetivo principal a conscientização e a integração do indivíduo. Esses trabalhos ameaçam o sistema, o poder. Porque estimulam a pessoa a se conhecer, a se questionar e, como conseqüência, a questionar o que está à sua volta. Tais trabalhos, que visam abrir canais de percepção, colocar as pessoas diante de si mesmas, isto é, do seu amor, do seu ódio, da sua luta, enfim, da sua vida, são trabalhos que, a meu ver, vêm possibilitando cada vez mais nosso encontro com a nossa verdade. Seja qual for esse encontro, mesmo que individual, é verdadeiro. Acredito que quanto mais as pessoas encontrarem o seu caminho e a sua verdade, menos luta, menos ódio e menos guerra haverá neste nosso mundo.

E, em minha opinião, este livro e a técnica da qual fala contribuem muito para esses encontros.

Rio, junho de 1985
Rainer Vianna*

(*) Fundador, com Angel Vianna (sua mãe) do Espaço Novo — Centro de Estudo do Movimento e Artes (Rio de Janeiro). Rainer Vianna fez cursos de Expressão Corporal, Anatomia e Expressão Corporal, Eutonia e Dança Livre, inclusive na Argentina.

Nota introdutória

Este livro contém informações úteis tanto para leigos como para estudantes adiantados de shiatsu. Como no shiatsu trabalhamos com a própria energia da vida, seu estudo é, na verdade, inesgotável. E ocorre na vida, no dia-a-dia, na prática. Pela natureza artística do shiatsu, a prática vem sempre antes da teoria. Não interessa o quanto uma pessoa saiba sobre shiatsu, meridianos, pontos, energia se ela não consegue, através de seu corpo e de suas mãos, transmitir esse conhecimento. No shiatsu, a hora do toque é a hora da verdade.

Por isso esse é um livro para ser lido e para ser usado. Nos informarmos é importante, mas é na prática que a informação se torna conhecimento. É no cotidiano que o shiatsu se torna valioso. Através do shiatsu nos tornamos sensíveis às pessoas, e estabelecemos com elas um canal de comunicação profundo, num nível inacessível às palavras.

Mais do que uma técnica de equilíbrio energético, shiatsu é um modo de vermos, sentirmos e compreendermos as pessoas, a vida, e nós mesmos.

Mario Jahara-Pradipto

I. Conceitos iniciais

ENERGIA — PRINCÍPIO DA MEDICINA E TERAPIAS ORIENTAIS

A palavra *energia* implica, por definição, em atividade. Energia é parte de todos os elementos que compõem nossa existência, animados ou inanimados. A matéria é energia — a Ciência chegou a essa conclusão quando conseguiu dividir o átomo e constatou ser ele formado por partículas com carga elétrica positiva, negativa e neutra, estruturadas num sistema orbital. Mesmo uma pedra ou um tijolo, que aparentemente não possuem vida, borbulham em atividade, numa constante dança de partículas invisíveis.

Há milênios desenvolveu-se no Oriente um sistema relacionado à energia vital dos seres vivos, em especial do homem. Essa energia básica da vida é chamada de "ki". Ki não é um conceito místico ou filosófico. O fato de normalmente não o percebermos não quer dizer que não exista. Os cães ouvem ruídos inaudíveis ao ser humano. O ouvido treinado do músico capta nuances sonoras que o do leigo jamais percebe. Em ki não se acredita, ki se sente. É preciso treino, sensibilização. Através da prática do shiatsu, do t'ai chi, da meditação zen, entre outras, com o tempo a energia se torna clara à nossa percepção.

A energia vital dos seres vivos também é comprovada cientificamente. Os cientistas russos Semyon e Valentina Kirlian já em 1940 realizavam um trabalho pioneiro. Desenvolveram uma técnica de fotografar a energia, que aparecia como uma aura em torno dos seres vivos. Experiências com essa técnica nos mostram como a aura de uma folha arrancada de uma planta diminui gradualmente até sumir por completo. Também, como a aura de uma pessoa sadia apresenta uma harmonia, enquanto as linhas que representam a aura de pessoas doentes são mais fracas e caóticas. Essa técnica é conhecida por *efeito Kirlian*. Já não é nenhuma novidade. Muitos outros métodos são atualmente utilizados. A experimentação científica é interessante e valiosa. Serve de aval diante das pessoas que só "sentem" com o intelecto. Mas não é de utilidade para o praticante do shiatsu. Ele necessita ser sensível à energia. Todos temos a capacidade natural de sentir essa energia, em nós mesmos e nos outros. A prática nos torna conscientes dessa capacidade, e com o tempo ela se desenvolve.

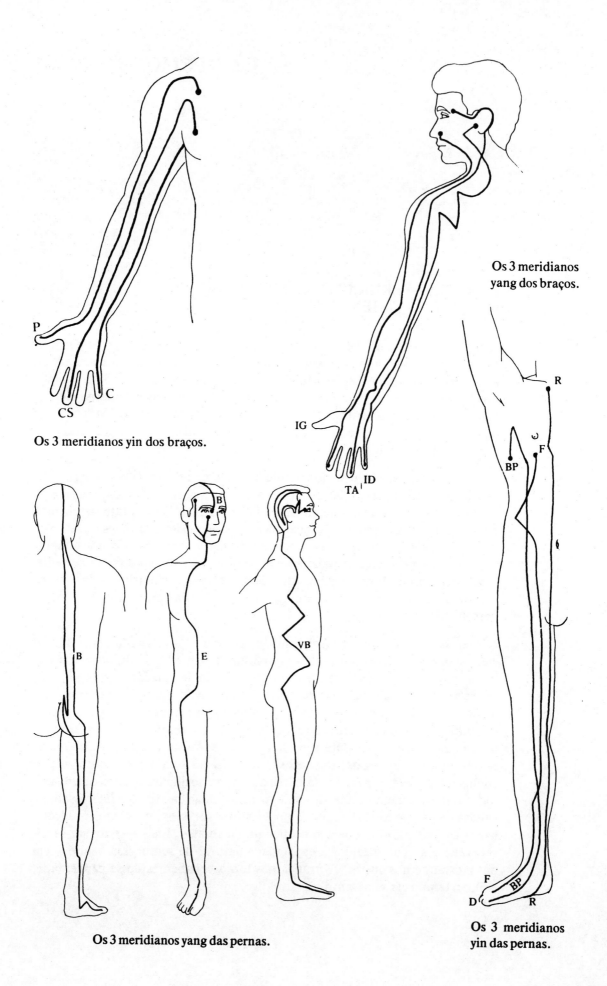

Os 3 meridianos yang dos braços.

Os 3 meridianos yin dos braços.

Os 3 meridianos yang das pernas.

Os 3 meridianos yin das pernas.

MERIDIANOS E PONTOS

A energia vital, ou ki, flui pelo corpo humano de forma regular. Esse fluxo forma "canais", ou "caminhos". Esses "canais" são os *meridianos de energia*, a base da medicina oriental. São utilizados pelos terapeutas no trabalho de reequilíbrio energético. O livre fluxo da energia pelo nosso corpo é essencial para a saúde e sensação de bem-estar físico e psicológico.

Existem várias maneiras de atuarmos sobre a energia dos meridianos. Cada maneira caracteriza uma terapia diferente. A acupuntura utiliza agulhas colocadas em certos pontos ao longo dos meridianos. Na moxabustão, usamos calor para aquecer os pontos escolhidos. No shiatsu, trabalhamos aplicando pressão sobre os pontos e meridianos.

Os meridianos são representados por uma grande "linha" de energia, que sobe e desce percorrendo o corpo humano da cabeça aos pés, formando uma "trilha" que pode ser aprendida e utilizada de forma sistemática. Essa linha é dividida em doze pedaços. Cada pedaço é *um* meridiano — relacionado a determinadas funções orgânicas e a certas características psicológicas e emocionais. Na sua maioria os meridianos têm o nome do órgão que ocupa lugar de destaque dentro das funções a ele ligadas. Mas alerte-se, o meridiano *não* é o órgão! Alguma dor ou reação ao longo de um meridiano não implica necessariamente em problema no órgão que o denomina. Vamos detalhar mais o assunto no capítulo "Diagnóstico no Zen Shiatsu".

Ao longo dos meridianos encontramos pontos que condensam energia. São chamados *tsubos*, cuja tradução nos dá "abertura", "buraco". São pontos que nos permitem contatar e atuar sobre a energia dos meridianos de uma forma mais intensa. Do ponto de vista científico, os tsubos são pontos que apresentam baixa resistência à eletricidade — ou seja, são bons condutores elétricos. Os antigos diziam que os tsubos são os pontos onde o fluxo de nossa energia vital aflora à superfície do corpo.

Os meridianos (e pontos) são conhecidos desde tempos antiqüíssimos. Seus traçados foram descobertos através da experiência prática. A localização dos meridianos e pontos é determinada pela natureza. O homem só os descobriu. Primeiro, de forma empírica. Agora também com a confirmação de pesquisas científicas modernas.

MEDICINA OCIDENTAL OU ORIENTAL?

A alopatia baseia-se em um choque de forças, o da química contra micróbios que atacam e infeccionam o organismo humano. A destruição desses micróbios representa a cura, a eliminação do agente causador da doença. Daí a importância do tubo de ensaio. É nele que vai (vão) se isolar aquele(s) ser(es) microscópico(s) que causa(m) enfermidade(s) no homem. É nele que são testadas as drogas capazes de destruir essa "vida maligna" para a vida do ser humano.

Sob esse aspecto a medicina ocidental resume-se numa luta contra sintomas, como se a eliminação destes fosse o próprio fim da doença. Nesta luta a alopatia se utiliza de drogas — uma força externa que age sobre o metabolismo interno do paciente. Em muitas situações essas drogas agem como um exército alienígena que viria defender um povoado pobre e desprotegido de uma ameaça, causando danos variados, às vezes superiores aos causados pelo próprio "inimigo".

A alopatia não proporciona um fortalecimento da capacidade natural de recuperação do organismo. Inibe o potencial reativo do próprio corpo na sua cura.

O que se deve considerar antes de chamar o "exército" é a natureza da "guerra". Em muitas dessas batalhas talvez fosse preferível o corpo traçar sua própria estratégia. Nestes casos a medicina oriental é perfeitamente adequada. Pela sua perspectiva, saúde é uma questão de equilíbrio entre as diversas forças existentes no organismo humano. Não se preocupa em eliminar a doença diretamente, mas em normalizar a energia vital do paciente. Cria assim condições ao organismo de eliminar a enfermidade através de seus próprios meios. A ênfase é na saúde, e não na doença. Por isso nos beneficiamos de uma sessão de acupuntura ou shiatsu mesmo não tendo nenhuma enfermidade. Saímos da sessão nos sentindo mais relaxados e harmônicos, com mais energia — enfim, com mais saúde. A medicina oriental tem, assim, recursos para tratar as pessoas "meio-doentes", que não apresentam um quadro sintomático definido, mas que também não se sentem bem dispostas, saudáveis. E sem efeitos colaterais, comuns na alopatia.

A medicina ocidental trata a doença. A oriental trata o doente. A mente ocidental disseca, divide, analisa para então chegar a uma conclusão. A lógica oriental trabalha o homem como um todo, numa visão integral, que percebe a doença não como um fenômeno isolado e casual, mas como parte de um contexto. É o enfoque que caracteriza o que em inglês chamamos de *holistic medicine* (medicina holística) — se propõe a tratar o doente na sua totalidade, e não apenas a parte enferma. Vê o ser humano como responsável pelos seus atos, e sua saúde/doença como uma extensão de seu modo de vida. Ser responsável não é ser "culpado". Doença não é castigo, não é punição por mau comportamento. É uma conseqüência natural dos procedimentos (tipo de dieta, exercício físico, trabalho) e fatores externos (clima, meio ambiente, cultura) e hereditários que caracterizam uma vida.

A medicina oriental não é melhor que a ocidental, ou vice-versa. Seus enfoques são diferentes. Cada uma tem suas limitações e — também — recursos valiosos. Devemos conhecê-los para podermos utilizá-los com inteligência, procurando sempre a terapia mais indicada para cada caso em particular. Qualquer forma de radicalização reflete certa estreiteza mental. Idéias preconcebidas e rígidas podem trazer conflitos internos e sofrimentos desnecessários à pessoa enferma.

Com uma atitude aberta podemos sempre incorporar alguma coisa nova à nossa maneira de ser e agir. Médicos que me procuram para aprender shiatsu se sentem beneficiados com as aulas. E não necessariamente pelo seu potencial terapêutico, mas por coisas simples — como desenvolver a capacidade de tocar outro ser humano. Um toque sensível e consciente é mais confortável para o paciente. Certas formas de diagnóstico que exigem a palpação do corpo se tornam mais agradáveis e eficazes. O médico também se sente mais à vontade quando sabe que o toque de suas mãos é agradável e ajuda o paciente a relaxar.

As respostas não estão nem no Oriente, nem no Ocidente, mas em nós mesmos. A integração de técnicas ocidentais e orientais pode ocorrer de várias maneiras. A cada pessoa cabe descobrir sua própria síntese Ocidente-Oriente. No meu trabalho com shiatsu, minha proposta é exatamente esta.

Shiatsu

O QUE É SHIATSU?

O shiatsu é comumente definido como uma "massagem oriental". Mas na realidade é muito mais do que uma simples massagem. É uma terapia do reequilíbrio físico e energético. Atua através de pressões que são efetuadas em determinadas áreas e pontos do corpo humano.

Shiatsu é uma palavra japonesa. "Shi" significa dedo e "atsu" pressão — pressão com o dedo. O Ministério Japonês de Saúde nos dá a seguinte definição: "A terapia conhecida por shiatsu é uma forma de manipulação administrada pelos polegares, dedos e palmas, sem o uso de qualquer instrumento, mecânico ou de outro tipo, para aplicar pressão à pele humana, corrigir disfunções internas, promover e manter a saúde, e tratar doenças específicas."

O shiatsu é de fato usado por profissionais de saúde para curar doenças — normalmente em combinação com outras terapias orientais. Para curar doenças, porém, o shiatsu sozinho é uma técnica limitada. É mais útil para levantar o nível de energia do paciente, regular e fortalecer o funcionamento dos órgãos e estimular a resistência natural do corpo às doenças. É uma técnica mais preventiva do que curativa.

É verdade que o shiatsu alivia dores no corpo e dá conta de pequenos distúrbios orgânicos. Mas o grande potencial do shiatsu está em tornar o paciente consciente de seu próprio corpo. E o corpo não é só corpo. O corpo armazena emoções, sentimentos, reflete nosso estado mental. No corpo, por entre seus músculos e nervos, está inscrito um pouco de nosso passado. Ele fala de nós de uma forma mais viva do que nossas palavras, que contam histórias nem sempre exatas. O corpo não mente, e também não esquece.

Termos nosso corpo tocado é uma experiência forte. O shiatsu desperta no paciente uma nova consciência de si. E quando tocamos uma área ou um ponto onde a energia está bloqueada, não só chamamos a atenção do paciente para ela, como ajudamos o bloqueio a se dissolver. Esse trabalho de normalização do fluxo energético traz ao paciente uma sensação de equilíbrio interno, de leveza e bem-estar, de integração consigo mesmo e com o agente da técnica. Ele se sente profundamente relaxado, e, ao mesmo tempo, repleto de vigor e energia.

O melhor shiatsu é simples. E nessa simplicidade ele é maravilhoso. Não há necessidade de se falar de pontos mirabolantes que curam todo tipo de doenças. Esse é um enfoque superficial, comercial. A idéia de que seja possível curar doenças pressionando um ou dois pontos do corpo não é simples — é simplista, falsa. Qualquer pessoa que trabalhe seriamente com as técnicas orientais de saúde sabe disso.

A questão no shiatsu não é acreditar, mas experimentar. O shiatsu só é mistificado ou contestado por aqueles que não o conhecem. Quem experimenta, e sente, compreende. É importante desenvolver seu conhecimento a partir de sua vivência. É sentindo o fluxo de energia (em nosso próprio corpo e no de outras pessoas) que passamos a compreendê-lo. Então nossas mãos se tornam especiais, porque quando tocamos não estamos apenas conscientes da matéria, mas também da energia.

SHIATSU "YIN" E SHIATSU "YANG"

A vida é um constante fluir. Esse fluir se dá em ciclos. Depois do dia temos a noite, e depois da noite vem o dia. Depois do verão vem o inverno. À lua cheia segue-se a nova, a maré ora está alta, ora baixa. Essas mudanças atingem todas as espécies de vida. O homem e os animais dormem à noite, atingem um pique de atividade durante o dia, e passam por momentos de transição — quando acabam de acordar ou quando estão cansados ao final do dia. As plantas absorvem gás carbônico e eliminam oxigênio durante o dia. À noite esse processo se inverte.

Yin e yang representam esse ciclo. Ilustram essas contínuas mudanças, os ritmos da existência. Yin é o pólo negativo, passivo, profundo, feminino. A noite e o inverno são yin. Yang representa o pólo positivo, ativo, superficial, masculino. O dia e o verão são yang. Esses conceitos não são estáticos. Representam dois pólos de uma *mesma* energia. Yin está sempre se tornando yang, e yang se tornando yin. Um processo constante de mudanças.

Nada é absolutamente yin ou yang. Tudo contém em si yin e yang. As proporções é que variam. O homem tem seu lado feminino, a mulher tem seu lado masculino. Ora nos sentimos com mais energia, mais ativos, ora nos sentimos mais lânguidos, mais passivos. Ora eufóricos, ora deprimidos. Ora felizes, ora tristes. A arte de viver encontra-se no equilíbrio. É o "caminho do meio", de Buda. É o Tao, de Lao Tzu. "Onde está o Tao, está o equilíbrio" (*Tao Teh Ching*, cap. 18).

Yin e yang são expressões do ki, a energia vital. Yin é negativo e yang positivo. Isso não quer dizer que um seja "bom" e o outro "mau". Ambos são forças essenciais à vida. Em certos momentos é bom sermos ativos e energéticos. Mas também é essencial sabermos como relaxar e ficar quietos, recolhidos em nós mesmos. Para crescermos com harmonia necessitamos desenvolver nosso lado yin e nosso lado yang.

Fisicamente as pessoas são mais yin ou mais yang. Em geral a pessoa fisicamente passiva apresentará um estado mais yin. A fisicamente ativa um estado mais yang. Musculatura rígida é yang, e flácida é yin. A pessoa "ligada" é yang, a "molenga" yin. Pessoas "friorentas" são yin. As "calorentas", que suam muito, de face ruborizada — yang. A respiração torácica, pesada é yang. A respiração abdominal, e/ou fraca é yin.

É bom para as pessoas de estrutura yang praticarem exercícios de alongamento. E, quando respiram, devem procurar trazer o ar fundo em seu corpo, respirando também com o abdômen. O tipo yin precisa incorporar exercícios de força aos alongamentos, para *gradualmente* desenvolver sua força muscular. E exercícios físicos e respiratórios que movimentem sua caixa torácica. Sempre respeitando o corpo. Os excessos de exercício são prejudiciais.

O paciente yin precisa de um shiatsu tonificante, que aumente seu nível geral de energia. No shiatsu para o tipo yin, a pressão é lenta, gentil e profunda — e não rápida e superficial, como poderíamos supor. Tonificar não é excitar, é fortalecer, dar vigor, dar "tono": tono(i)ficar. A pressão rápida e superficial é estimulante, mas não tonificante. Para tonificar precisamos entrar em contato com aquela energia profunda, que vem lá de dentro, do interior do corpo do paciente. Para isso necessitamos uma pressão firme e estacionária, suave e profunda ao mesmo tempo.

O paciente yang precisa de um shiatsu sedante. Usamos pressões mais rápidas e vigorosas que acompanham o ritmo físico e psíquico do paciente. Procuramos dissolver os nós musculares e energéticos, equilibrando seu sistema orgânico.

Em todo corpo encontramos áreas yin e áreas yang, meridianos yin e yang. Yin e yang são relativos. Uma área é yin em relação a uma outra. Ela é "mais yin". O mesmo ocorre com yang. Assim, a idéia de shiatsu "yin" e "yang" é genérica. Um paciente de estrutura yin precisa de um shiatsu tonificante. Mas também tem áreas e meridianos que precisam ser sedados. E vice-versa. No zen shiatsu, em particular, sempre tonificamos e sedamos simultaneamente. Enquanto uma mão seda, a outra tonifica.

A parte interna de nosso corpo é yin. A externa é yang. Somos naturalmente yin "por dentro" e yang "por fora". Para sermos realmente saudáveis precisamos equilibrar essa tendência. Nos tornar yang por dentro e yin por fora. Ter um bom metabolismo, com órgãos internos fortes, e uma musculatura flexível.

O estilo de vida do homem moderno o leva a ter um metabolismo deficiente e a se tornar tenso e rígido externamente. Pessoas assim são as mais difíceis de serem tratadas.

Embora suas raízes sejam muito antigas, o zen shiatsu é uma técnica moderna. Seus conceitos são atuais, adequados às necessidades do homem de hoje.

SHIATSU "FRIO" E SHIATSU "QUENTE"

A responsabilidade por nossa saúde não deve ser entregue ao médico, e sim, compartilhada com ele. Devemos ser nosso primeiro médico. Aprender a nos conhecer. Entender o corpo e suas necessidades. Um dos maiores méritos do shiatsu é exatamente nos colocar em contato com nosso próprio corpo.

A função do médico não deve ser só prescrever, mas também esclarecer. O médico deve ser um amigo. A medicina oriental é mais humana porque focaliza o doente, e não a doença. Mas existem médicos alopatas que verdadeiramente se interessam por seus pacientes, e terapeutas orientais que trabalham movidos pelo espírito comercial. São frios e distantes. Trabalham com técnicas orientais, mas com o espírito do que há de pior na medicina ocidental.

O shiatsu, mais do que qualquer outra técnica, não pode ser praticado mecanicamente. O shiatsu "frio" é superficial. A técnica é importante, mas o praticante é mais. Se ele não se permite sentir, não pode se tornar consciente de seus sentimentos. Se ele não se expõe, não se mostra como realmente é, não pode estabelecer um contato autêntico e humano com o paciente.

É melhor sermos autênticos do que nos escondermos atrás de uma técnica, de uma imagem ou manipularmos nossos sentimentos na direção de um ideal. Em seu livro *O Corpo em Depressão*, Lowen diz existir "uma grande diferença entre a espiritualidade do homem que traz seu calor, compreensão e simpatia para as pessoas e a espiritualidade do asceta, que vive no deserto ou se confina numa cela" — ou dentro de si mesmo. Enquanto o primeiro tipo de pessoa está integrado à vida, o outro distancia-se, acreditando que ser espiritual significa controlar e "canalizar" seus instintos, sentimentos e emoções. Assim pode se tornar poderosa, mas dificilmente humana. Sua espiritualidade está fundamentada no ego, na idéia de que certos sentimentos são "espirituais" e outros não, determinadas atitudes são "certas" e outras "erradas" — no fundo cultivando um certo sentimento de superioridade em relação às pessoas que não se enquadram dentro de seus conceitos de espiritualidade.

A pessoa espiritual é autêntica, é sincera — e humana. Não tem medo de se expor ou de errar — pois confia na sua natureza e sabe que pode crescer através de seus erros. Espiritualidade não é uma questão de atitudes ou roupas, mas da capacidade de se ser "inteiro", de se estar totalmente presente — e de aprender com a vida. De incorporar a matéria no espírito, o interesse na amizade, o sexo no amor.

O shiatsu é uma técnica de toque. É sensorial e intimista. Nossas mãos têm de se moldar ao corpo do paciente. O medo de tocar outra pessoa é essencialmente o medo da própria sexualidade. O shiatsu-terapeuta necessita compreender a própria sexualidade — e não reprimi-la. Ele *não* deve ser sexual durante sua prática, mas a menos que seja capaz de aceitar e se relacionar harmonicamente com seus sentimentos sexuais, não terá a liberdade física/psicológica necessária para realizar um trabalho profundo de shiatsu.

Quando digo que trabalho com shiatsu, algumas pessoas me perguntam se também faço acupuntura. A acupuntura e o shiatsu são técnicas diversas, que exigem de seus praticantes qualidades muito diferentes. Na acupuntura existe algo (a agulha) entre o praticante e o paciente. No shiatsu o praticante coloca "as mãos na massa". Como as pressões são feitas a partir de movimentos que mobilizam todo o corpo do praticante e exigem muito senso de equilíbrio, fazer shiatsu é normalmente mais fácil para pessoas que trabalhem com seu próprio corpo — fazendo dança, hatha yoga, teatro etc. O acupunturista, no caso, tem conhecimento de medicina oriental, mas nem sempre o controle do corpo, a qualidade de toque ou o sentimento necessários à prática do shiatsu.

SHIATSU E OUTRAS TÉCNICAS ORIENTAIS

Várias técnicas terapêuticas orientais se baseiam no sistema de meridianos e pontos.

No *Nei Ching, o Livro de Acupuntura do Imperador Amarelo*, o imperador pergunta por que os médicos tratam seus pacientes empregando terapias diferentes. Ch'i Po, o mestre de medicina, responde que cada terapia se desenvolveu em uma região diferente do país, para suprir as necessidades específicas das pessoas do local. Essas necessidades decorriam do clima, alimentação e estilo de vida característicos de cada região.

O norte do país, por exemplo, é montanhoso e muito frio. Há muitas pastagens e a dieta local se baseia em laticínios. Resfriados e tosses são comuns. Nessa região desenvolveu-se a moxabustão. Já o sul é quente e úmido. As pessoas comem muitas frutas maduras e alimentos fermentados. Por isso tendem a sofrer de espasmos. A acupuntura é eficaz para tratar esse tipo de problema.

Ch'i Po continua explicando em que condições se desenvolveram a medicina herbal e as massagens. E finaliza dizendo que os antigos sábios aprenderam a combinar essas técnicas e as usavam de acordo com as necessidades do paciente.

Cada técnica tem um potencial diferente. A acupuntura é uma ciência médica. Trata eficazmente doenças reumáticas, pulmonares, distúrbios funcionais e diversas outras doenças. O do-in consiste de exercícios físicos e um pouco de automassagem. Na moxabustão acendemos moxas (um pequeno grão feito a partir de folhas secas da artemísia) sobre os pontos para aquecê-los. A moxabustão é freqüentemente usada em associação com a acupuntura.

O shiatsu também age sobre doenças e sintomas. Mas é essencialmente uma terapia preventiva. De manutenção da saúde e fortalecimento orgânico do paciente.

Embora alguns autores mencionem shiatsu e acupressura como sinônimos, vejo a acupressura como uma forma simplista de se praticar acupuntura com os dedos. Uma espécie de shiatsu de emergência. A manipulação de uns poucos pontos visando só a eliminação de sintomas. Sua eficácia é limitada a alguns distúrbios mais simples.

O shiatsu é um método de tratamento independente de sintomas. Numa seqüência trabalha *todos* os meridianos principais, atuando de forma completa sobre o sistema corpo-mente. Permite ao praticante entender a essência do trabalho que ele está realizando.

SHIATSU COMO MEDITAÇÃO

Em 1978, na Índia, deu-se meu primeiro contato com o shiatsu. Foi dentro de um grupo de retiro zen-budista. Era uma das meditações que praticávamos diariamente.

Meditação é uma palavra muito usada, pouco compreendida. Afinal o que é meditar? É ponderar, refletir sobre um assunto? Sentar horas numa posição torturante? É uma prática espiritual? Para o zen, meditação é uma coisa simples. É estar totalmente presente no momento, o famoso "aqui-agora". Consciência é a chave do estar presente — uma consciência muito mais intensa do que normalmente empregamos em nosso dia-a-dia. Observe só quantas coisas estão acontecendo nesse exato momento sem que você perceba. Os ruídos na rua. As cores dos objetos que nos cercam. O centro de equilíbrio do nosso corpo. A respiração. As batidas do coração. Sorte que nossas funções vitais sejam autônomas. Se dependessem da nossa consciência estaríamos todos mortos!

O homem contemporâneo, em especial, é muito mental. Pensamos demais! — Vivemos muito mais em contato com nossas mentes do que com a realidade que nos cerca. Meditar é estar num estado de consciência amplo, abrangente. Quando meditamos nossos problemas nos parecem menores, ou desaparecem. Isso porque não mais estamos concentrando nossa atenção neles. Percebemos a vida plenamente, na sua totalidade. Os problemas fazem parte da vida, mas a vida é composta de muitas partes.

O que muitas vezes chamamos meditação são na verdade práticas que nos ajudam a entrar em contato com nós mesmos e com a realidade que nos cerca. Práticas que nos auxiliam a entrar em um estado meditativo. Nessas práticas, focalizamos nossa consciência num objeto pré-escolhido, na esperança de que ela, em determinado momento, se expanda. Para o zen budismo, tudo na vida é uma oportunidade. As atividades simples da vida, quando feitas conscientemente, se tornam práticas de meditação — e nos trazem prazer interior autêntico.

É só agirmos com atenção, com consciência. Para o zen, pintar é uma meditação. Cozinhar. Caminhar. A cerimônia do chá é uma meditação belíssima. Vipassana, uma das mais conhecidas, é a meditação do respirar (conscientemente). Nela, simplesmente sentamos com os olhos fechados e observamos atentamente nossa respiração, sem alterá-la. Como dizem os mestres zen, nos "tornamos" a respiração. Todas as técnicas zen têm a ver com o aguçamento da consciência.

No zazen, outra prática zen, nos sentamos e focalizamos a atenção em nosso centro físico — no hara, um pouco abaixo do umbigo. No t'ai chi e na dança noh, estamos conscientes do centro enquanto nos movemos — aprimoramos nosso sentido de equilíbrio, buscando um centro "dinâmico".

No shiatsu o praticante precisa estar consciente tanto de sua própria respiração quanto da do paciente. Ela deve se manter fluida. A melhor pressão é efetuada enquanto o paciente exala, principalmente quando trabalhamos as costas, o tórax e o abdômen. O próprio praticante muitas vezes exala conscientemente enquanto pressiona. O sentido de equilíbrio é também muito importante. O praticante se move com harmonia. Todos os toques e pressões devem ser feitos com consciência, e sempre partindo do seu centro interno. "Um mestre transmite energia ki de seu hara (centro), em um estado de completo relaxamento"[1] (Shizuto Masunaga).

Como meditação o shiatsu é feito para o benefício do praticante, e não do paciente. Mas é claro que ambos se beneficiam. Fazer shiatsu pode nos tornar mais centrados, mais equilibrados — tanto física quanto psicologicamente. É uma oportunidade de nos tornarmos conscientes do que se passa em nosso espírito e em nossa mente. É bom para o corpo-alma. Uma oportunidade de crescimento. E crescer interiormente é importante para quem trabalha com shiatsu. Lidando com pessoas, no fundo transmitimos a elas o que a gente realmente é, e não a imagem que fazemos de nós mesmos, o que "desejamos" transmitir.

SHIATSU, MEDITAÇÃO E PSICOTERAPIA

É idéia básica das psicoterapias modernas que o paciente necessita reviver o passado para livrar-se dele. Se o passado for eliminado não existirá o futuro, e o paciente pode então se fixar no presente, onde ocorrem as verdadeiras transformações e crescimento.

De acordo com a perspectiva reichiana, o corpo acumula as experiências, o passado, na forma de tensões musculares crônicas. Técnicas terapêuticas desenvolvidas a partir das idéias de Reich, como a bioenergética, procuram romper as "couraças" musculares para que o paciente possa liberar suas emoções e sentimentos reprimidos — permitindo que sua bioenergia torne a fluir livremente. Assim ele retorna ao presente.

As técnicas de meditação também objetivam trazer o meditante para o presente — mas através de um caminho diferente. Procuram induzir a consciência a um "salto", onde passado e futuro sejam deixados de lado, e, subitamente, o praticante se encontre no presente — o "aqui-agora". É um estado em que a atividade mental involuntária diminui ou cessa — o que em zen é conhecido por "estado de Mu", ou "não-mente".

No shiatsu, ao invés de "romper couraças" procuramos "seduzir" o corpo do paciente a relaxar-se. Como diz Iona Teeguarden em seu livro *Acupressure Way of Health*, é como perguntar ao corpo: "Você tem certeza que não gostaria de soltar essa tensão?"[2]. Através de pressões nos meridianos e tsubos, equilibramos e estimulamos o fluxo energético do paciente — mais energia torna-se disponível para seu organismo e consciência. A sensação de bem-estar físico produzida também encoraja o paciente a abandonar a mente e "entrar" no presente.

O que caracteriza uma técnica não são as manobras utilizadas, mas a essência, a proposta do trabalho. Conscientemente ou não, muitas técnicas terapêuticas ocidentais valem-se, à sua maneira, do sistema energético do corpo

---

(1) Ob. cit., p. 50.
(2) Ob. cit., p. 83.

conhecido dos orientais há milhares de anos. Durante uma aplicação de shiatsu podem ocorrer erupções emocionais, mas como uma necessidade natural do paciente naquele momento — não são nem provocadas nem necessárias à eficácia do trabalho. Perspectivas diversas não se invalidam umas às outras. Técnicas diferentes atuam por caminhos diferentes — e são adequadas a pessoas diferentes.

UM TOQUE DE HISTÓRIA — DO NEI CHING AO ZEN SHIATSU

Existem gravações sobre acupuntura que datam de 1600 a.C. O primeiro tratado mais completo, *Nei Ching, o Livro do Imperador Amarelo*, foi escrito há mais de 2.000 anos (400-200 a.C), embora haja evidências de que suas raízes datem de 5.000 anos. Os conhecimentos nele contidos eram antes transmitidos através da tradição oral.

A medicina chinesa (kampo) foi unificada na dinastia Han (206 a.C.-220 d.C.). Antes, dividia-se em dois ramos principais: a do sul da China, de terras férteis, que empregava raízes e ervas; e a do norte, acima do rio Amarelo, região de solo rochoso onde surgiu a acupuntura, moxa e massagem (amma).

Esse sistema de medicina foi introduzido no Japão no século VI, aproximadamente uma década depois do budismo, que — acredita-se — entrou no Japão em 552. Era o período Asuka. E, desde então, permaneceu como o principal sistema de medicina até o fim do período Edo (1603-1867). Aí começou a entrar no país a ciência médica ocidental, que veio a dominar a nação durante o período Meiji (1868-1912), principalmente por seus métodos cirúrgicos e por sua eficácia no combate a epidemias. Mas, já no nosso século, as limitações das técnicas ocidentais se tornaram evidentes. As antigas terapias foram reavaliadas. Hoje, tanto técnicas ocidentais como orientais são consideradas e utilizadas.

O shiatsu tornou-se reconhecido como uma forma de terapia há aproximadamente 70 anos. Quando o governo do Japão baixou regulamentações para os praticantes de amma, exigindo que eles se licenciassem, muitos terapeutas mudaram o nome do seu tipo de tratamento para "shiatsu", a fim de evitar essa regulamentação. Depois, esta forma de tratamento foi reconhecida e legitimada, devido à sua eficácia e popularidade.

Em tempos mais recentes alguns mestres resgataram o potencial do emprego do shiatsu como técnica de expansão da consciência, ou meditação, em contraste com a tendência de mecanização e conseqüente superficialização da prática. Temos Masunaga, com seu "zen shiatsu", Wataru Ohashi com o "ohashiatsu", Rajneesh e o "shin shiatsu", Reuho Yamada (o sacerdote zen que fundou o "Templo das Flores de Lótus", em São Francisco) e, já numa 2ª geração, Harold Dull ("tantra shiatsu" e "water shiatsu"), além de tantos outros.

Zen shiatsu

ZEN SHIATSU

> *"No zen é importante que você tenha um bom mestre de quem aprender. No shiatsu, seu paciente é seu mestre."*
>
> (Shizuto Masunaga)

Existem várias maneiras, vários métodos de se fazer shiatsu. O zen shiatsu não é apenas mais um deles. Distingue-se por ter uma base teórica própria, desenvolvida especialmente para a sua prática. É uma técnica contemporânea, baseada numa ciência milenar. Sua "atitude" com relação ao paciente é atual, em linha com as terapias e trabalhos corporais modernos, que respeitam a inteligência de cada corpo e os sinais por ele enviados.

O zen shiatsu não é uma técnica ortodoxa. Suas raízes estão no passado, sua cabeça no futuro. Wataru Ohashi declarou que seus conceitos estão cinco anos à frente de nosso tempo. Ohashi é um dos maiores nomes do shiatsu no mundo ocidental. É o fundador do SECA — "Shiatsu Education Center of America", estabelecido em Nova York em 1974. Foi Ohashi quem traduziu do japonês para o inglês o livro *Zen Shiatsu*, de Shizuto Masunaga. Masunaga foi o idealizador do zen shiatsu, considerado a principal autoridade em shiatsu quando vivo, genial e inspirador após sua morte. No Brasil, o zen shiatsu é praticamente desconhecido. Mesmo o shiatsu ainda não ocupou seu espaço próprio. O conhecimento da medicina oriental não faz da pessoa um terapeuta de shiatsu. É preciso muita prática, uma vivência específica da técnica, numa constante relação de aprendizado e crescimento.

Muitos dos pontos utilizados no shiatsu são sensíveis ao toque. Nas mãos de certas pessoas, uma aplicação de shiatsu mais parece uma sessão de tortura. Para o zen shiatsu isso não é só desnecessário — é prejudicial. O zen shiatsu nunca agride o corpo. É um método que trabalha o corpo de forma profunda porém suave, provando ser a dor completamente dispensável para que a técnica do shiatsu surta efeito máximo. Masunaga nos diz: "Nesse ponto há muitas noções erradas com relação ao shiatsu, que gostaria de esclarecer. Primeiro, não é verdade que o shiatsu para ser eficaz requeira pressões fortes aplicadas com os polegares e dedos. Tampouco é verdade que doenças possam ser curadas pela mera pressão em certos pontos do corpo... Se você já teve alguma vez uma criança caminhando nas suas costas, saberá o significado de pressão natural. As crianças são inocentes e não exercem uma quantidade de pressão desnecessária. Daí, quando você usar sua palma, cotovelo, ou joelho, esteja certo de utilizar uma quantidade natural de pressão.[1]"

O que o sistema de Masunaga tem a ver com o zen? É uma questão de perspectiva. O propósito fundamental do zen-budismo é alcançar o estado de iluminação através do autoconhecimento. O zen *usa* a meditação, mas *não é* a meditação. No zen as respostas não podem ser racionalizadas, mas apreen-

---

(1) Ob. cit., p. 95.

didas *através* da meditação. Zen significa "abertura da mente para a presença do sinal celeste", ou "a meditação que leva ao vislumbre".

Da mesma forma, o shiatsu usa a pressão dos dedos, mas seu significado transcende essas pressões. Nas palavras do próprio Masunaga: "Tanto no zen como no shiatsu lidamos com fatores que não podem ser explicados racionalmente, mas que necessitam ser sentidos pelo corpo vivo.[2]" O princípio por ele enfatizado é que no shiatsu, como no zen, é importante estabelecer um "eco" de vida. Sentir a "resposta" dada pelo corpo do paciente quando pressionamos determinada área ou ponto. "Se você coloca sua mão num ponto (tsubo) e segue a linha dos meridianos com seus dedos, você poderá sentir o 'eco' da vida... Alguns terapeutas japoneses trabalham sem observar essa importante sensação. Isso reduz o shiatsu a uma técnica mecânica, em vez de ativar a força vital de cura existente em nossos corpos... No zen é importante que você tenha um bom mestre de quem aprender. No shiatsu, seu paciente é seu mestre.[3]"

Com a prática correta do shiatsu intensifica-se o fluir de energia no praticante, no paciente, e entre ambos. Com isso cria-se um nível alterado de consciência. As possibilidades do shiatsu no nível espiritual e emocional são muitas. O zen shiatsu trabalha com essas possibilidades.

PRINCÍPIOS QUE CARACTERIZAM O ZEN SHIATSU

1) *O meridiano como um todo*

No shiatsu utilizamos, freqüentemente, os polegares para exercer uma pressão concentrada sobre os pontos ao longo dos meridianos. Já no zen shiatsu, utilizamos muito mais as palmas das mãos do que os polegares. As pressões são largas, abertas, mais suaves e menos dolorosas. Trabalhamos os meridianos como *um todo*, e não como uma seqüência de pontos a serem pressionados.

2) *Alongamento e pressão simultâneos*

Esse é o princípio que nos permite realizar um trabalho profundo utilizando pouca força. A pressão excessiva só produz mais tensão e rigidez nos músculos contraídos. Alongando-se a musculatura referente à área do meridiano que estamos trabalhando, reduzimos a tensão e a contratilidade muscular. Na posição de máximo alongamento o músculo apresenta a menor capacidade de contrair-se. Oferece pouca resistência à pressão aplicada, que penetra profundamente o organismo do paciente, sem nenhum esforço por parte do praticante.

---

(2) Ob. cit., p. 5.
(3) Idem, p. 6.

3) A mão "mãe", ou o shiatsu com as duas mãos

De acordo com a visão oriental, toda existência é governada por forças opostas — yin (energia feminina) e yang (energia masculina). O equilíbrio e saúde do corpo dependem da harmonia entre essas duas forças. No shiatsu, yin e yang são respectivamente kyo e jitsu. Kyo é neutralizado pelo que denominamos tonificação, e jitsu pela sedação.

No zen shiatsu mantemos dois (ou mais) pontos de contato com o paciente quase que todo o tempo. Um desses pontos de contato serve como base, dando apoio e suporte para a ação executada pela outra mão. Essa mão base é a mão "mãe". Ela tem função tonificante. Se coloca de forma estacionária, tocando o corpo suave e profundamente. O suporte dado por ela mantém o corpo do paciente relaxado e receptivo, enquanto a outra mão age sobre meridianos e pontos, dissolvendo bloqueios e nós (estagnações de energia). Essa mão "ativa" ou "livre" tem a função de sedação. Dessa forma, criamos um círculo de energia envolvendo terapeuta e paciente. Além de tonificar e manter o paciente relaxado, a mão "mãe" tem outra função importante. Nela sentimos com maior clareza qualquer reação do corpo do paciente às pressões executadas pela mão "ativa".

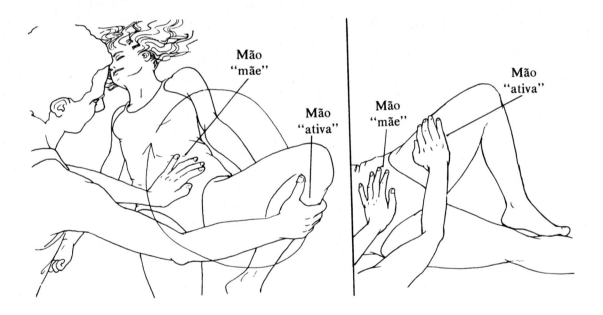

4) Meridianos extras para a prática do shiatsu

Nas palavras do próprio Masunaga: "Na medicina clássica oriental existem 14 linhas principais de meridianos. No shiatsu não devemos nos limitar às linhas dos meridianos tradicionais como no caso da acupuntura. Podemos adicionar outras linhas, porque no shiatsu lidamos com uma área maior. Nos meus tratamentos até agora localizei doze meridianos nas pernas e doze nos braços. A utilização desses meridianos tem produzido resultados mais efetivos"[1].

---

(1) Ob. cit., p. 21.

Masunaga utilizou sua experiência, seu conhecimento e sua intuição para determinar esses meridianos não-tradicionais. Ele os localizou na prática, sentindo-os com as mãos e experimentando com eles. Acabou por chegar a uma constelação de linhas de meridianos diferente da tradicional, embora não oposta a ela.

Para Masunaga os meridianos representam as funções básicas da vida. Estudar os meridianos é estudar as bases da própria vida. Podemos compreender a vida física pelo seu aspecto anatômico e fisiológico, mas sua essência está além da ciência. Podemos pesquisar os meridianos e pontos utilizando a lógica e científica convencional, mas este enfoque não nos permitirá sentir sua existência. Shiatsu, como o zen, *não depende de compreensão intelectual, mas de prática*, porque lida com as energias essenciais da vida. Sem a atenção consciente voltada para essas energias, não se pode conseguir resultados profundos no shiatsu. "Para compreendermos os meridianos e pontos, temos que primeiro sentir a vida (energia vital) que existe dentro de nós."[2]

5) *Diagnóstico dos meridianos através de alongamentos*

No zen shiatsu trabalhamos com alongamentos específicos para todos os meridianos. Através do alongamento de um meridiano determinado podemos constatar com clareza se seu estado é kyo ou jitsu. Se estiver jitsu, quando for alongado se mostrará duro e resistente, às vezes sobressaindo-se na pele. O kyo se apresentará superficialmente flácido e frágil, mas rígido e sensível quando tocado com maior profundidade. Para mais detalhes, dê uma olhada no capítulo de diagnóstico.

6) *Importância do "ampuku", ou diagnóstico-terapia da área abdominal (hara)*

O shiatsu no hara produz efeitos profundos no organismo humano, e nos permite diagnosticar o estado energético dos meridianos — conforme vamos ver no capítulo de diagnóstico. No zen shiatsu damos grande importância à condição da área abdominal, e ao trabalho que nela executamos.

RELAÇÃO PRATICANTE-PACIENTE

O shiatsu é uma linguagem, um diálogo entre duas energias vitais. O praticante, naturalmente, é um elemento básico nesse diálogo. Tão importante quanto "o que" ele faz, é "como" ele faz. Sua postura (física e psíquica), sua maneira de tocar, seu sentimento em relação ao paciente influem de forma decisiva na qualidade do trabalho.

Em seu livro *Do-It-Yourself Shiatsu*, Ohashi diz: "O praticante de shiatsu deve a maior parte de sua habilidade à experiência. Também é verdade que o

---

(2) Ob. cit., p. 52.

shiatsu não é uma mera técnica de manipulação — a atitude do paciente tem um importante papel na qualidade do tratamento. Se você não tem empatia com seu paciente, seu shiatsu não tem valor... Daí, prefiro trabalhar somente com pessoas de que gosto, e, julgando pela minha experiência, esses sentimentos positivos produzem o melhor shiatsu"[1].

Essa é uma perspectiva que denota elevada consciência do shiatsu como profissão. Shiatsu não é uma técnica mecânica — sem um sentimento sincero entre praticante e paciente é impossível estabelecer um contato energético profundo. É verdade que, algumas vezes, aprendemos a gostar de uma pessoa ao longo de uma série de aplicações, mas algum potencial deve existir nesse sentido, e o shiatsu-terapeuta necessita utilizar sua percepção e intuição na avaliação desse potencial.

FUNDAMENTOS PARA A PRÁTICA DO ZEN SHIATSU

Postura do praticante — Como aplicar as pressões

> "Um mestre transmite energia ki de seu hara, num estado de completo relaxamento."
>
> (Shizuto Masunaga)

O zen shiatsu segue o princípio taoísta do wei-wu-wei, o "fazer-sem-fazer" — fazer sem esforço, suave e naturalmente, sem nenhum envolvimento físico ou psicológico desnecessário (como querer "curar" ou "fazer bem"). O praticante simplesmente faz o que sabe, sem alardes e sem pretensões — os resultados vêm por si mesmos. Dessa forma, não se tensiona nem se cansa, conservando-se alerta, receptivo e sensível à energia do paciente.

O praticante mantém seu corpo relaxado, a coluna naturalmente ereta, os movimentos partindo sempre dos quadris.

As pressões são feitas utilizando-se o peso do corpo, *nunca* baseadas na força muscular. O praticante coloca-se de forma a descansar o peso de seu corpo sobre os pontos e áreas tratadas — descansa seu peso em um ponto... depois no próximo... e no próximo, numa espécie de relaxado "caminhar", que continua até a aplicação terminar. Os cotovelos devem ser mantidos retos (mas não "duros"), de maneira que o peso do corpo incida diretamente sobre a área tratada. Seguindo esses princípios, o praticante se preserva fisicamente (e não acaba a aplicação precisando ele de um shiatsu!) e estabelece com o paciente o tipo de contato almejado: firme, relaxado, profundo. *Pressões baseadas em tensão muscular* (dos dedos, mãos, braços ou costas) *transmitem tensão*. São incômodas, passando ao paciente a sensação de um toque tenso, "pesado" e superficial — às vezes até mesmo trêmulo.

O corpo do praticante deve mover-se para frente (no momento de exercer a pressão) e para trás (para aliviá-la, ou trocar de ponto). Utiliza assim todo seu

---

(1) Ob. cit., p. 49.

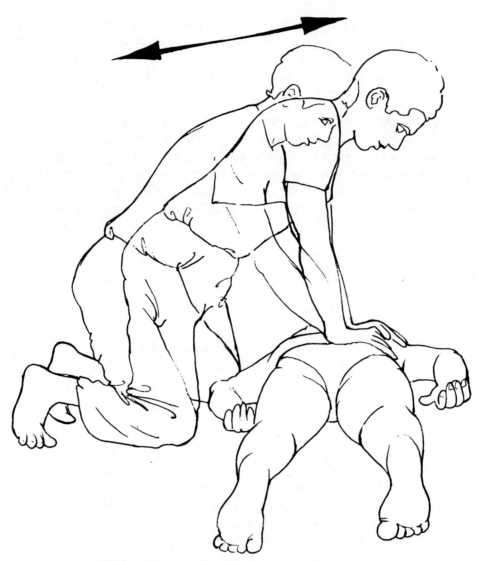
Utilizando o peso do corpo para exercer as pressões.

corpo, trazendo de seu hara a energia de seu toque. São palavras de Rikyu, o mestre zen fundador da *Cerimônia do Chá*:

— "Não mexa seu chá com os dedos,
   mas com o cotovelo".

Com isso não quis dizer que seus discípulos deveriam colocar o cotovelo dentro da xícara de chá e assim mexê-lo, mas que o movimento de mexer deveria partir do cotovelo, e não da mão. Da mesma forma, as pressões no shiatsu devem partir não dos dedos e mãos, mas do cotovelo e do hara, num movimento total do corpo.

A pressão

O shiatsu funciona através de pressões executadas pelo praticante no corpo do paciente. O tipo básico de pressão no zen shiatsu apresenta três características: é perpendicular à área tratada, estacionária, e executada contra uma base que ofereça firme apoio ao corpo do paciente.

Pressão perpendicular (e vertical)

A melhor pressão incide perpendicularmente sobre o ponto ou área tratada, e, se possível, é exercida diretamente de cima para baixo sobre o paciente. É fundamental que o praticante coloque-se em relação a cada área tratada de forma a tirar o máximo proveito do peso do seu corpo. Por isso a melhor superfície para a aplicação do zen shiatsu é o chão, ou uma mesa bem baixa, de modo que o praticante possa inclinar-se sobre o paciente.

Pressão estacionária

A pressão contínua, firme, sem movimento é fundamental no zen shiatsu. É uma pressão calma, cuja intensidade aumenta e diminui de forma gradual. Por não ser súbita e agressiva, mantém o paciente relaxado, exercendo profunda ação sobre seu organismo. Cada pressão é mantida, em média, de 3 a 5 segundos, embora, ao tratar áreas sensíveis, nela nos detenhamos por vários segundos a mais.

Pressão apoiada

Toda pressão vinda de uma determinada direção necessita de algum apoio vindo da direção oposta. Dessa forma, o paciente não necessita resistir às pressões, num esforço para não desequilibrar-se. Esse esforço mantém o corpo do paciente tenso — e, portanto, "impenetrável" ao toque do terapeuta. Com o paciente deitado, a superfície sobre a qual ele se encontra fornece esse apoio — ao mesmo tempo que exerce, de baixo para cima, uma pressão proporcional àquela executada de cima para baixo pelo praticante. Essa superfície deve ser plana e firme — embora acolchoada, para não ser incômoda. Já quando trabalhamos com o paciente sentado, nossa tarefa se torna mais difícil — temos que pressionar e fornecer apoio ao mesmo tempo.

O apoio ao paciente não deve ser nunca desprezado, já que é essencial para que ele possa "se entregar". No zen shiatsu, a mão "mãe" estabiliza o corpo do paciente, fornecendo-lhe apoio extra. O tantra shiatsu (ver página 32) é uma técnica que se caracteriza pelas formas de apoio que oferece ao corpo do paciente. Na sua versão fora d'água, o terapeuta utiliza seu próprio corpo para apoiar e estabilizar o paciente. Na versão feita dentro de uma piscina, a água morna fornece ao paciente uma sensação de apoio físico forte e envolvente, muitas vezes transmitindo-lhe a sensação de um "retorno ao útero materno".

Profundidade das pressões

No zen shiatsu procuramos tocar profundamente o paciente, e para isso usamos de suavidade — a pressão deve ser firme e profunda, mas ao mesmo tempo gentil. Assim o paciente permanece relaxado e receptivo, permitindo que a energia do toque penetre profundamente seu corpo. Em áreas tensas, doloridas, começamos com uma pressão mais superficial, que aprofundamos à medida que o paciente relaxa e a dor cede — sem forçarmos seus limites de conforto. A pressão muito forte ou violenta faz com que o corpo se contraia, se "feche", criando uma espécie de "escudo protetor". Quanto mais força usamos, mais o corpo se tensiona. Nenhuma quantidade de pressão "penetra" um corpo tenso. Lembre-se sempre: *quanto mais resistência o paciente oferecer, menor força devemos fazer.*

Partes do corpo utilizadas para exercer as pressões

"Calcanhar" da Mão

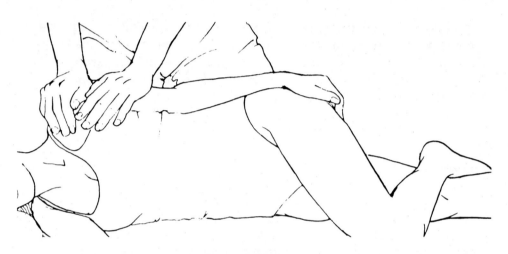

No zen shiatsu, a parte do corpo que mais usamos para aplicar as pressões é a área da palma das mãos próxima ao pulso — o "calcanhar" da mão. Também utilizamos a palma toda, quando queremos uma pressão mais suave.

Dedos

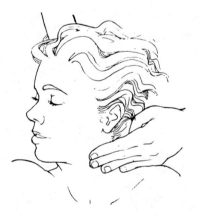

Os dedos indicador, médio e anular juntos são importantes para trabalhar áreas sensíveis — como o hara e as faces laterais do pescoço.

Polegar

Quando utilizamos o polegar, normalmente o mantemos esticado, pressionando com sua "polpa" — e não com sua ponta. A pressão feita com a ponta

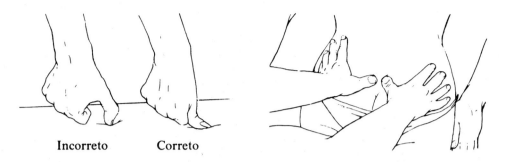

Incorreto   Correto

do polegar dobrado não é boa — é tensa e pontuda, e a articulação do dedo pode ser prejudicada. No zen shiatsu, usamos muito o polegar apoiado sobre o dedo indicador dobrado, formando-se uma área de contato mais ampla, triangular.

Cotovelo e Joelho

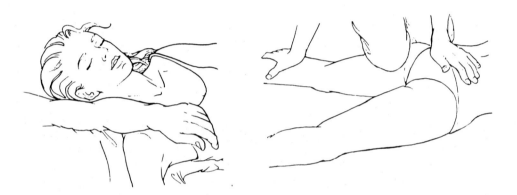

Para pressionarmos regiões que agrupam músculos largos e fortes (como os dos ombros, costas, coxas, nádegas), podemos usar o cotovelo, ou o antebraço. Faça uma pressão firme, suave e estável — não "rode" o cotovelo no ponto, nem utilize muita força. Os joelhos são muito empregados no zen shiatsu, principalmente nas nádegas e coxas, às vezes também nos braços. Quando empregar os joelhos, utilize as duas mãos para controlar o peso de seu corpo — e, conseqüentemente, a intensidade da pressão.

Outras

Os pés podem ser usados para pisar a parte posterior do corpo, pressionando os meridianos nas costas, pernas, ombros, antebraços, palmas.

Podemos ainda usar o punho (mão cerrada), o lado externo da mão aberta etc. Mas seja qual for a parte do corpo utilizada para exercer a pressão, trabalhamos da mesma forma — relaxados, usando o peso do corpo, trazendo energia ki de nosso hara.

TANTRA SHIATSU E SHIATSU NA ÁGUA

Quando um bebê sente alguma dor ou desconforto, chora. O bebê é um ser total — quando chora, todo seu corpo se torna tenso e contraído. Quando a mãe o pega no colo, muitas vezes observamos essa tensão se dissolver na frente de nossos olhos em questão de instantes. Essa necessidade de suporte físico, de sermos "pegos" é profunda, e nunca nos abandona.

No tantra shiatsu, o paciente é tratado "como um bebê". É colocado "no colo" de várias maneiras diferentes e amparado pelo corpo do terapeuta durante todo o desenrolar da técnica. O corpo do terapeuta é o elemento "mãe" do tantra shiatsu, que dá apoio e suporte ao paciente enquanto seus pontos e meridianos são trabalhados através de toques, alongamentos e pressões. O tantra shiatsu é uma técnica muito suave. Algumas vezes simplesmente seguramos o paciente de forma firme e nos balançamos lentamente de um lado para outro, ou em pequenos círculos, ajudando-o a achar seu centro de equilíbrio. Quanto mais centrado e apoiado ele se sente, mais facilidade tem para se soltar e relaxar. Aém dos meridianos, o tantra shiatsu utiliza os chacras — centros vitais de energia. Através de toques suaves canaliza e ativa a energia desses centros, ajudando o paciente a se tornar consciente deles.

O tantra shiatsu é uma evolução do zen shiatsu. Estas técnicas podem ser utilizadas sozinhas ou em combinação, dependendo das necessidades e possibilidades físicas e psicológicas do paciente. O zen shiatsu é uma técnica mais flexível que o tantra shiatsu — se adapta melhor às necessidades de um número maior de pessoas. Além disso, as bases teóricas do tantra shiatsu estão no zen shiatsu. Por isso é melhor aprender o zen shiatsu antes do tantra shiatsu.

Existe também uma variação do tantra shiatsu que é feita dentro de uma piscina de água morna. Nessa técnica o paciente é constantemente flutuado pelo terapeuta enquanto tem seus meridianos trabalhados através de alongamentos e pressões. A água morna dá ao paciente uma sensação de total suporte, como se fosse um útero. Relaxa o corpo e os alongamentos se tornam mais eficazes. A sensação transmitida ao paciente é de leveza física, paz e renascimento. A execução dessa técnica parece em alguns momentos uma dança a dois. É — inclusive — um espetáculo bonito, tanto pela plasticidade de seus movimentos como pela sensação de paz e harmonia que irradia.

O tantra shiatsu vem sendo desenvolvido na Califórnia por Harold Dull, uma das maiores autoridades em zen shiatsu na Costa Oeste dos Estados Unidos.

Respiração e dor

RESPIRAÇÃO

"Apenas através de uma respiração profunda e plena é que podemos conseguir energia para uma vida mais espirituosa e espiritual."

(A. Lowen, *Bioenergética*, p. 57)

A respiração mantém a vida. Através dela as células de nosso corpo são supridas de oxigênio, e ocorre a eliminação de gás carbônico. Uma respiração deficiente afeta o funcionamento de todos os outros sistemas de nosso organismo. Os orientais dizem que a vida não se mede pelo tempo, mas pelo número de respirações. A todo ser vivo é dado um mesmo número de respirações. Quando este número se esgota, a vida acaba. Assim o cão, um animal de respiração rápida, vive muito menos tempo que o elefante, que respira de forma lenta. Mas ao final da vida de ambos, se contássemos quantas vezes um e outro respiraram, chegaríamos ao mesmo número.

A respiração é diretamente ligada às emoções. A cada emoção corresponde um tipo e ritmo respiratório. Quando uma pessoa está relaxada, sua respiração é suave, lenta e profunda. Se ela fica nervosa, ou irada, sua respiração se torna pesada, rápida e curta. É por isso que "a vida se mede pelo número de respirações". Uma pessoa verdadeiramente equilibrada teria uma perspectiva de vida mais longa do que a nervosa, que se descontrola freqüentemente, excitando sua respiração e todo seu organismo de uma maneira desordenada.

Da mesma forma que as emoções agem sobre a respiração, a respiração age sobre as emoções. Controlando nossa respiração, controlamos também nossas emoções.

Por isso, quando estamos tensos, nervosos e queremos nos acalmar, respiramos fundo. Muitas técnicas de relaxamento valem-se dessa relação entre respiração e estado emocional. Os atores utilizam técnicas de controle de respiração quando necessitam interpretar determinadas emoções. Forçando um certo tipo de respiração, eles despertam dentro de si as emoções desejadas.

Para o oriental a respiração é a "ponte entre a matéria e o espírito", entre o corpo e a consciência.

Várias técnicas de meditação baseiam-se na respiração. Vipassana, de origem zen-budista, é a meditação da respiração por excelência. Nela apenas observamos nossa respiração, sem alterá-la. Dizem que o homem que consegue acompanhar seguidamente por cinco minutos sua respiração, sem deixar-se distrair nem uma só vez por seus pensamentos, está próximo da iluminação. Pranayama é a parte da yoga que se dedica à purificação do corpo e da mente exclusivamente através de exercícios respiratórios.

Vivemos a vida tão desatentos ao nosso próprio corpo que poucas pessoas já se deram ao trabalho de acompanhar conscientemente o mecanismo da respiração. Inalamos, depois há um pequeno intervalo, exalamos, outro pequeno intervalo, inalamos novamente, e assim vai, do nascimento até a morte. Quando nascemos, inspiramos pela primeira vez. Quando morremos, expiramos pela última — o "sopro final" da vida. Respirar não é só inalar — a respiração é um ciclo. No Oriente diz-se que cada vez que inspiramos renascemos, e que cada expiração é uma pequena morte. Algumas pessoas sentem falta de ar simplesmente porque não exalam completamente. Exalar é relaxar. Exalando abrimos espaço para que ar fresco preencha nossos pulmões. Existe uma técnica de respiração em que nos concentramos em exalar conscientemente — nós só exalamos, o corpo inala por si próprio. Essa técnica parte do princípio que o corpo sempre sabe a quantidade certa de ar de que necessita. Nosso trabalho então é só "soprar o ar para fora", é só exalar, e não interferir no processo natural de inalação do corpo.

As sensações físicas e psicológicas são ligadas à respiração. Respirar plenamente intensifica sentimentos e sensações. Com medo de sentir, com temor das sensações desagradáveis ou ameaçadoras, muitas pessoas restringem a respiração. Na morte a respiração cessa. Diminuir a respiração é uma forma de nos tornarmos "meio mortos", de sentirmos menos. Mas uma respiração "pequena" reprime não só as sensações desagradáveis, como também as agradáveis — a pessoa acaba se tornando incapaz de sentir prazer. A respiração alimenta a vida, produz energia vital. Técnicas terapêuticas contemporâneas, como a bioenergética e o renascimento, fazem o paciente respirar de forma intensa para tornar o corpo "vivo", "carregado" de energia, despertando emoções e sensações nele reprimidas desde nosso nascimento. Estas técnicas evoluíram principalmente a partir dos trabalhos de Wilhelm Reich e Alexander Lowen.

A MECÂNICA DA RESPIRAÇÃO

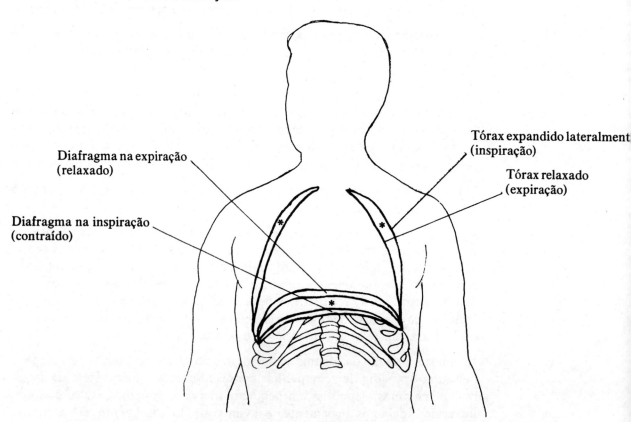

(*) Volume ampliado da cavidade torácica expandida.

A respiração é executada principalmente por um músculo (o diafragma) e um grupo de músculos (os intercostais). O diafragma é um músculo largo, que separa a cavidade torácica da abdominal. Quando se contrai, ele se estica e achata. Dessa forma, cria-se mais espaço na cavidade torácica, possibilitando a inspiração. Ao mesmo tempo, no que ele se estica pressiona os órgãos abdominais para baixo. Se o abdômen estiver relaxado, ele se expande, permitindo que o diafragma desça. Quando o diafragma relaxa, ele é empurrado para cima pelos órgãos abdominais, e se curva para dentro da cavidade torácica, diminuindo seu espaço interno e pressionando o ar para fora do corpo.

Os músculos intercostais (externos e internos) se situam entre as costelas. Os intercostais externos puxam as costelas para cima, fazendo com que o tórax se expanda, e os intercostais internos puxam as costelas para baixo, ajudando na sua contração.

Assim, na inspiração o diafragma se estica, pressionando os órgãos abdominais para baixo e expandindo verticalmente a cavidade torácica, e os intercostais externos puxam as costelas para cima, expandindo lateralmente o tórax. Como resultado, amplia-se o volume da cavidade torácica, e o ar externo é "aspirado" para dentro, para preencher o espaço interno criado.

Na expiração, o diafragma relaxa e é pressionado para cima. A elasticidade natural do tórax faz com que ele se contraia, parcialmente auxiliado pelos intercostais internos. O volume da cavidade torácica reduz-se vertical e lateralmente, e o ar é expulso do corpo.

RESPIRAÇÃO YIN E RESPIRAÇÃO YANG

Se não respiramos livremente, limitamos a energia vital de nosso corpo, mas poucas pessoas respiram de forma plena. Na prática observamos que certas pessoas tendem a respirar utilizando mais os músculos intercostais, movimentando o tórax mas mantendo o diafragma e a região abdominal imobilizados. Essa respiração se processa essencialmente através da expansão lateral do tórax. É o que chamamos de respiração "torácica".

Num outro extremo temos as pessoas que só utilizam (parcialmente) o diafragma, fazendo com que a parte superior do abdômen se expanda e contraia, mas mantendo o tórax rígido. A respiração aqui ocorre através da expansão vertical da cavidade torácica. Essa maneira de respirar é chamada de "abdominal" — embora o termo "estomacal" talvez descrevesse melhor o movimento executado, já que a parte superior do abdômen é normalmente a mais mobilizada. Mas é bom que fique claro que o diafragma "sela" a cavidade torácica, e o ar em nenhum momento penetra o abdômen. Por respiração abdominal queremos dizer apenas que o abdômen participa ativamente no processo respiratório, relaxando e se expandindo em resposta à contração do diafragma, e se contraindo quando este relaxa.

A respiração torácica é essencialmente yang. É superficial, já que não passa do tórax. É tipicamente masculina — caracteriza o tipo atlético (tórax inflado e abdômen contraído), ativo, extrovertido, agressivo. Pessoas que respiram movimentando só o tórax apresentam a área inferior do tronco rígida, os movimentos pélvicos reprimidos — o "quadril duro". Essa tensão nas regiões pélvica e abdominal reduz muito as sensações nessas áreas do corpo — incluindo as sensações sexuais. Pode também ocasionar problemas digestivos. Por outro lado, a energia tende a se concentrar na área dos ombros e pescoço, aumentando a tensão que facilmente se acumula nesta região do corpo.

A respiração abdominal é yin. Quem respira "abdominalmente" tem a barriga mais dilatada e a caixa torácica rígida — às vezes subdesenvolvida. Esse tipo de respiração caracteriza pessoas mais passivas, intelectuais, introvertidas. Pessoas que respiram movimentando apenas o abdômen apresentam menos vitalidade física. Têm tendência a problemas respiratórios e a ter circulação deficiente nas extremidades do corpo.

A respiração sadia é plena e profunda. Plena porque expande a cavidade torácica vertical e lateralmente mobilizando totalmente diafragma, tórax e abdômen. Profunda porque seus movimentos atingem o tanden (importante centro energético situado no baixo-ventre) e os órgãos genitais, com a própria pelve se movendo suavemente para frente e para trás. É a respiração natural, observada em crianças pequenas e nos animais, e que leva energia a todas as partes do corpo. Qualquer restrição no fluxo respiratório pleno quebra a unidade do corpo — prejudicando seu desenvolvimento, causando tensões e distúrbios orgânicos, diminuindo sua vitalidade e limitando a expressão física e emocional.

Uma experiência com a respiração

Deite-se com a barriga para cima, nu ou com roupas bem confortáveis, que não lhe apertem a cintura. Coloque a mão direita, palma voltada para baixo, no baixo ventre, com o polegar junto ao umbigo. Agora ponha sua mão esquerda, palma para baixo, sobre o tórax, na linha dos mamilos. Sinta sua respiração. Observe aonde ela vai, e onde ela não alcança. Comece a aprofundá-la. Primeiro exale, soprando suavemente todo o ar para fora. Agora encha o corpo todo de ar (tórax e abdômen) e, em vez de exalar, faça o movimento de inspiração mais duas ou três vezes, tentando forçar mais ar para dentro. (Esse exercício ajuda a "soltar" o diafragma.) Prenda o ar por alguns instantes, então exale. Sopre completamente o ar para fora, terminando com uma pequena contração da musculatura abdominal. Repita essa seqüência algumas vezes. Continue respirando profundamente, mas agora de forma normal — sem forçar a inalação após já ter preenchido o corpo de ar. Você deve sentir em suas mãos uma "onda" percorrendo a parte da frente de seu corpo. Se sua respiração for do tipo yang, ao inalar você vai preencher primeiro o tórax e depois o abdômen, formando uma "onda" que nasce na parte superior do tronco. No tipo yin, essa "onda" acontece no sentido inverso — primeiro o abdômen se dilata e depois o tórax. Não importa muito onde comece sua "onda". O objetivo é despertar corpo e consciência para uma respiração mais completa. Respirando com o "corpo todo" harmonizamos nossa energia e nos sentimos revitalizados. E com os músculos da respiração mais soltos, respirar se torna um profundo prazer.

Exercício para soltar e desenvolver a capacidade respiratória

Fique de pé, com os pés um pouco afastados e os joelhos levemente flexionados. Coloque as mãos, com os dedos trançados, por trás da cabeça. Sopre fortemente o ar para fora, contraindo o abdômen, 3 ou 4 vezes — forçando uma exalação completa. Agora inspire profundamente, preenchendo tórax e abdômen, e incline o corpo para trás (sem forçar). Sem soltar as mãos, relaxe braços e ombros, de modo que o peso dos braços "abra" o tórax. Permaneça nessa posição com o ar preso por alguns segundos. Retorne à posição ereta e solte o ar. Repita a seqüência toda 3 ou 4 vezes.

Nota: Quando respiramos profundamente podemos ter sensações de formigamento em algumas partes do corpo. Essas sensações são sintomas de hiperventilação. São normais e desaparecem assim que a respiração é regularizada. Trabalhando-se a respiração regularmente elas diminuem e eventualmente desaparecem.

RESPIRAÇÃO NO SHIATSU

O shiatsu relaxa os músculos da respiração e do corpo em geral. Ativa e equilibra o fluxo energético e o funcionamento orgânico. Dessa forma atua sobre a respiração, que no decorrer da aplicação se torna solta, suave e profunda.

Ao aplicar o zen shiatsu o praticante deve estar atento à respiração do paciente — e à sua própria. O ritmo estabelecido pressionar/soltar pressão acompanha o ritmo respiratório do paciente, principalmente quando trabalhamos as costas, o tórax e o abdômen. Quando pressionamos, o paciente deve estar exalando. Ao exalar o corpo relaxa e oferece menos resistência à pressão. Se o paciente não permite que sua respiração flua e se sincronize com a pressão podemos orientá-lo dizendo: "solte todo o ar", ou "respire, e deixe sair todo o ar", e então pressionar enquanto ele exala.

Através da respiração nos ligamos ao meio ambiente. Quando inspiramos, absorvemos não só oxigênio, mas também energia ki. Ao exalar, lançamos energia de volta à existência. Quando queremos colocar mais energia em nosso toque, exalamos ao mesmo tempo que pressionamos. Dessa forma, não só "carregamos" a pressão com nosso ki, como nosso toque se torna relaxado. Dirigindo nossa respiração, muitas vezes ela se sincroniza com a do paciente. Mas em alguns momentos essa sincronia ocorre de forma espontânea, refletindo uma integração energética entre praticante e paciente.

Quando pressionamos um ponto yin mais sensível, o corpo se contrai, forma uma "armadura" muscular de tensão para protegê-lo do "ataque". A respiração pára, ou se torna curta e presa. Assim como a dor transforma a respiração, a respiração ajuda a transformar a dor. Quando sinto que um determinado toque é doloroso para o paciente, diminuo um pouco a pressão, peço que ele respire fundo e exale completamente. A inalação-exalação profunda ajuda a relaxar. O corpo se "abre", e o toque "penetra" o ponto. Com o relaxamento muscular e a tonificação do ponto, o organismo absorve a dor, que muitas vezes desaparece por completo.

A FUNÇÃO DA DOR — A DOR E O SHIATSU

A função da dor é atrair a consciência para algo que vai mal no organismo. Ninguém gosta de dor, é claro. Mas ela é nossa aliada. Sem ela não teríamos como proteger nosso corpo, que seria destruído rapidamente. Doenças que não doem nos seus estágios iniciais são as mais perigosas. É o caso do câncer, que quando apresenta sintomas de dor já se encontra muito desenvolvido, sendo seu tratamento então muito difícil.

Analgésicos têm utilidade em casos graves. Não há sentido em se sofrer desnecessariamente. Mas eles somente anestesiam a dor — e provisoriamente. Não curam. Pelo contrário, intoxicam nosso organismo. Devem ser usados com muito critério, quando estritamente necessários.

O conhecimento do shiatsu e da medicina oriental nos fornecem meios para descobrirmos problemas em nosso organismo antes mesmo que eles se manifestem de forma mais grave e dolorosa. Sensibilidade ou alteração em certos pontos (tsubos) e áreas do corpo indicam desequilíbrio em determinadas funções orgânicas. Já outros tsubos são sempre sensíveis à pressão — é normal. Compreender o funcionamento dos pontos e meridianos é um valioso recurso. Se conhecemos melhor nosso corpo e sabemos "ouvi-lo", temos mais capacidade de protegê-lo.

A dor psicológica também se reflete no corpo. O sofrimento mental é muitas vezes causado por emoções condicionadas ou pela falta de maturidade para aceitar certas situações. Esse sofrimento pode ser positivo, se nos leva a buscar uma saída, uma compreensão mais profunda. Com a aceitação e a compreensão, a dor assume uma outra dimensão. Deixa de ter importância exagerada, e eventualmente desaparece.

Dores no corpo são muitas vezes provocadas por tensão. Um ponto que dói pode ser uma chave importante no trabalho de energia. Ao encontrá-lo, devemos imediatamente relaxar um pouco a pressão que estamos exercendo sobre ele. Aliviamos a dor súbita sem perder contato com o ponto. Aumentamos suavemente a pressão, *dentro dos limites do paciente*. A pressão demasiada só causa mais tensão. Mantemos o toque e aguardamos o relaxamento. Usamos a outra mão para ajudar o paciente a relaxar. Se ele se deixa levar pela dor, se ele cede e se entrega a ela, sobrevém o relaxamento — e a dor desaparece. Se isso não acontece depois de alguns momentos, vamos adiante. Uma pressão que não está trazendo resultados positivos, depois de um certo tempo se torna negativa. Inquieta desnecessariamente o paciente e quebra o ritmo do trabalho.

Indicações e precauções

INDICAÇÕES E POSSIBILIDADES

Shiatsu é restaurador. A idéia básica é a de restaurar o funcionamento orgânico, e não a de tratar sintomas. No entanto, através do shiatsu equilibra-se o sistema energético do corpo, e cria-se uma sensação de energia e bem-estar, "enfraquecendo" os sintomas presentes. Assim, os sintomas são atingidos indiretamente.

A principal indicação do shiatsu talvez seja a diminuição da tensão (física e mental). Tensão é um problema que atinge a todos nós — todo mundo, em algum momento, já se sentiu tenso, todo corpo apresenta regiões de acúmulo de tensão. Existem tensões conscientes e inconscientes, e elas causam diversos problemas físicos. Mesmo as enfermidades que não são diretamente causadas por tensão, são agravadas por ela — e mais, vão provocar novas tensões, criando-se uma espécie de círculo vicioso.

Dentro dessa perspectiva, shiatsu é um excelente auxiliar no tratamento de diversos desequilíbrios e enfermidades. Em específico, é uma ótima terapia para dores de cabeça, esgotamento físico e mental, sensação de falta de energia, dores musculares e posturais, problemas digestivos, estados emotivos, insônia, mal-estar físico ou psicológico sem causa definida, e uma série de outros pequenos distúrbios.

Todavia, não é necessário que você esteja mal para "curtir" um shiatsu — se por acaso você estiver se sentindo bem, vai terminar a sessão se sentindo melhor ainda!

Principalmente, o shiatsu é uma maneira do paciente "se sentir", de entrar em contato com suas tensões e desequilíbrios — e com a energia e poder natural de cura existentes em seu organismo. Desperta, assim, uma consciência nova e mais profunda do corpo. Através dessa consciência, aprendemos a conhecer melhor o corpo. Conhecendo-o, naturalmente passamos a respeitá-lo. Nos tornamos mais sensíveis às suas necessidades — quando ele pede descanso, ou está doente e requer determinado alimento, a postura que lhe é benéfica, a dieta que mais lhe convém, tipo e quantidade de exercícios que lhe são apropriados etc. Ouvindo o corpo, entramos em contato com a inteligência intuitiva nele existente. Sem ouvi-lo, não há dieta que seja apropriada, exercícios que nos façam sentir bem etc. — porque estamos dando ao corpo aquilo que *pensamos* ser bom para ele, e não o que ele realmente necessita.

Temos a oportunidade de nos conscientizar não só de nosso corpo, mas também de nosso estado interior — nossa situação espiritual, psicológica, emocional. Como o desconforto mental e emocional podem ser imediatamente sentidos através do contato cutâneo, ele se torna aparente durante a prática do shiatsu. O shiatsu é, em essência, uma relação (entre quem faz e quem recebe). As relações pessoais são uma espécie de "espelho", onde o estado interior se reflete — um "pano de fundo", contra o qual nossos conflitos e problemas internos se revelam. Se uma pessoa se sente completamente confortável ao receber uma aplicação de shiatsu, ela provavelmente tem estabelecido relacionamentos humanos saudáveis em sua vida — revelando um certo equilíbrio interior. Por outro lado, ao sentir qualquer desajuste, o paciente tem a oportunidade de se conscientizar dele, de considerar suas causas e sua influência sobre sua vida.

PRECAUÇÕES

Shiatsu é uma técnica simples e inofensiva, se praticada com um mínimo de bom senso. Quase todas as pessoas podem receber shiatsu. As situações em que não deve ser aplicado são de casos extremos — portanto óbvias.

Converse com a pessoa que vai receber o shiatsu antes de aplicá-lo. Informe-se sobre sua saúde — se ela tem algum problema físico ou doença, se está tomando algum medicamento, se sofreu alguma cirurgia recentemente, ou se há qualquer coisa que ela gostaria de lhe comunicar antes de começarem.

Deixe-a à vontade para expressar qualquer desconforto que ela venha a sentir durante a aplicação do shiatsu. Permaneça sempre atento ao que você está fazendo e sensível às reações do paciente.

Não trabalhe em pessoas com enfermidades sérias, doenças contagiosas ou infecções graves. Em caso de dúvida, procure orientação. É óbvio que não devemos pressionar sobre cortes, machucados, queimaduras, inchações, manchas roxas provocadas por pancada ou qualquer tipo de escoriação. Não manipule ou pressione diretamente sobre articulações com artrite ou reumatismo. Não pressione sobre varizes, úlceras, ou em qualquer outra situação em que uma pressão externa possa provocar hemorragia interna.

Se seu paciente usa lentes de contato, faça com que ele as retire. Não trabalhe em pessoas com o estômago muito cheio, ou com muita fome. Pessoas frágeis devem ser trabalhadas com suavidade. Crianças, idosos e grávidas podem e devem receber shiatsu, mas precisamos ser cuidadosos e suaves. No caso de gravidez adiantada, aplique shiatsu nas costas com a paciente deitada de lado. Evite pressões sobre o feto (mas você pode tocá-lo!), e seja delicado com os tsubos. Shiatsu em grávidas é uma das experiências mais bonitas e gratificantes para o shiatsu-terapeuta. Trabalhando regularmente com uma grávida no mínimo você vai se sentir meio "padrinho" do neném quando ele nascer!

No início, evite casos que lhe pareçam complicados — até que você obtenha mais experiência e se sinta mais seguro. Seja sensível e aja com bom senso e inteligência, e seu shiatsu será sempre um presente que trará muitos benefícios e satisfação às pessoas. E a você também.

II. Principais pontos (tsubos) para a circulação energética

"Os tsubos estão aí, esperando por vocês! Eles parecem virtualmente 'saltar' para encontrar a ponta de seus dedos, como uma carga elétrica negativa se unindo a uma positiva."

(Wataru Ohashi)[1]

O corpo contém muitos pontos que produzem reações especiais quando são estimulados. Temos pontos que provocam um profundo relaxamento, outros que causam um "desligamento" momentâneo. Pontos que produzem um forte reflexo ao longo de uma parte do corpo. E até mesmo pontos que, quando golpeados, matam ou produzem a perda de sentidos — como é do conhecimento dos praticantes de karatê, aikidô etc. Temos também pontos que despertam "memórias" relacionadas a experiências e emoções que vivemos.

Os pontos são classificados em muitos tipos, de acordo com suas propriedades. Temos os pontos de Alarme, os pontos Associados, os pontos Fonte, os pontos de Passagem, os de Tonificação, de Sedação, etc.

Na prática do shiatsu a maior parte destas classificações não vai nos interessar. Das centenas de pontos (tsubos) existentes, alguns deles têm uma tendência maior para acumular tensão e apresentar bloqueios de energia. Dentre esses, alguns são mais adequados ao tratamento feito com a pressão dos dedos. Baseado na minha experiência, selecionei alguns pontos que considero especialmente importantes e úteis na prática do shiatsu. No zen shiatsu focalizamos mais nos meridianos. Mas também utilizamos alguns pontos, e é importante que você os conheça. Esses pontos ativam o fluxo energético ao longo dos meridianos, ajudam o paciente a relaxar e dão maior profundidade ao trabalho realizado.

COMO ACHAR OS PONTOS

Os pontos (tsubos) são bastante pequenos. Sua área de máximo efeito é talvez do tamanho da cabeça de um alfinete. Mas qualquer pressão num pequeno raio em torno deste "centro" já é suficiente para atingirmos o ponto.

---

(1) Ob. cit., p. 15.

A melhor maneira para se localizar um ponto é sentindo-o com o polegar, ou qualquer outro dedo. Primeiro seguimos as referências anatômicas usadas para descrever a localização do ponto. Na área indicada colocamos nosso dedo. Temos, então, de "achar" o ponto. O local exato do tsubo transmite uma certa sensação de "tensão", de energia — "eles parecem virtualmente 'saltar' para encontrar a ponta de seus dedos, como uma carga elétrica negativa se unindo a uma positiva." Realmente, se passamos o dedo levemente sobre a área de um tsubo, sentimos uma pequena "atração magnética" que nos guia para o local exato do ponto. Além disso, o tsubo sempre se localiza numa pequena depressão. Aliás, a palavra tsubo significa "depressão", "buraco". Tudo que necessitamos fazer é deixar nosso dedo "cair" dentro desse "buraco".

Só através da prática e da experiência você saberá como identificar um ponto de energia pelo toque. É verdade que existem aparelhos capazes de detectá-los. Esses aparelhos operam baseados no fato de que os tsubos apresentam baixa resistência à eletricidade. São às vezes utilizados por acupunturistas, principalmente na auriculoterapia, onde são aplicadas agulhas em pequenos pontos localizados no pavilhão da orelha.

O uso de aparelhos no shiatsu é um incômodo desnecessário. Com um pouco de prática, a maioria das pessoas desenvolve a sensibilidade necessária para localizar os pontos. Na música, só com a prática tornamos nossa audição suficientemente sensível para reconhecer a diferença entre tons e semitons — e assim sermos capazes de afinar nosso instrumento. No shiatsu, só a sensibilização do sentido do tato nos permite reconhecer os pontos com segurança. Essa sensibilização é um dos grandes benefícios que o shiatsu nos traz. Aprendemos a conhecer e a sentir o nosso corpo e o de outras pessoas através do toque.

COMO TRABALHAR OS PONTOS

Os tsubos são sensíveis — se pressionados com força doem. A sensibilidade varia de ponto para ponto, de pessoa para pessoa, do lado esquerdo para o lado direito. Se o ponto se encontra supersensível, rígido, ou apresenta qualquer outra anormalidade, é sinal de que aí provavelmente o fluxo energético se encontra bloqueado.

Para trabalhar um tsubo, primeiro temos de achá-lo — apalpamos a área em que ele se encontra até estabelecermos contato com ele. Feito o contato, aliviamos um pouco a pressão, respiramos, procuramos relaxar e sentir em nossas mãos o fluxo de energia que passa pelo ponto. À medida que o paciente também relaxa, o fluxo energético aumenta. Depois de alguns segundos, aliviamos a pressão e seguimos adiante.

Devemos trabalhar relaxados, sem nos forçar ou tensionar — wei-wu-wei, o "fazer sem fazer", o fazer com clareza de propósitos e o menor envolvimento físico possível. A pressão que exercemos sobre os tsubos não deve estar concentrada nos dedos e mãos, e sim, ser feita com nosso corpo todo, ou, pelo menos, partindo do cotovelo. Shiatsu é compartilhar energia e causar bem-estar — e não dor! Sua pressão deve ser firme, porém suave, sempre respeitando a sensibilidade e as reações do corpo. No zen shiatsu, "seduzimos" o corpo a se relaxar e soltar — não usamos de violência ou tentamos forçá-lo. Mesmo porque ninguém relaxa à força.

DURAÇÃO DAS PRESSÕES

Não existem regras absolutas com relação à duração das pressões nos tsubos, mas elas em geral variam de 5 a 10 segundos (de contato real, ou seja, a partir do momento que você *de fato* encontrou o ponto). Nos tsubos sobre os ombros pressionamos durante mais tempo, já que essa é uma área que acumula muita tensão. Nas maçãs do rosto (E 3, IG 20) as pressões são mais rápidas (2 ou 3 segundos), mas nos outros pontos da face seguimos a média. Só a prática e a sua sensibilidade lhe darão a medida exata (duração/intensidade de pressão) para cada tsubo — que varia de tsubo para tsubo, de pessoa para pessoa, de momento para momento. Mantenha-se atento ao paciente — suas reações são as indicações que lhe servirão de base.

EXPERIÊNCIAS COM OS PONTOS

Vamos achar os pontos. Dê uma olhada na lista e nas ilustrações que se seguem, e tente:

1º) Achar esses pontos no seu corpo. Se você não localizar o tsubo em seu corpo não será capaz de fazê-lo em nenhum outro.

2º) Achá-los em outra pessoa. Muitas vezes, quando "achamos" o ponto, o corpo dá um sinal — um leve tremor, uma inalação mais profunda, um leve murmúrio. Por isso, observe com atenção as reações do corpo de seu parceiro enquanto você o toca. Peça também que seu amigo lhe dê *feedback* — que avise quando você localizar o ponto, se sua pressão está muito forte ou fraca, etc. Lembre-se, os tsubos doem se pressionados com força; portanto, vá devagar. Não se esqueça de trabalhar o ponto nos dois lados do corpo, quando for o caso.

3º) Agora, tente achar os pontos no seu parceiro mantendo os olhos fechados, ou vendados. Assim você aprimora seu sentido de tato. Observe que muitas vezes é mais fácil achar um ponto "vendo" com as pontas dos dedos do que com os olhos.

O simples "tocar" esta seqüência de pontos é em si só uma terapia. Seu efeito é reequilibrante, relaxante e revigorante. Experimente!

O CORPO E OS PONTOS

Nuca e ombros

Áreas de grande acúmulo de tensão psicológica e emocional. Observe as pessoas — elas dificilmente trazem os ombros soltos, relaxados na sua posição

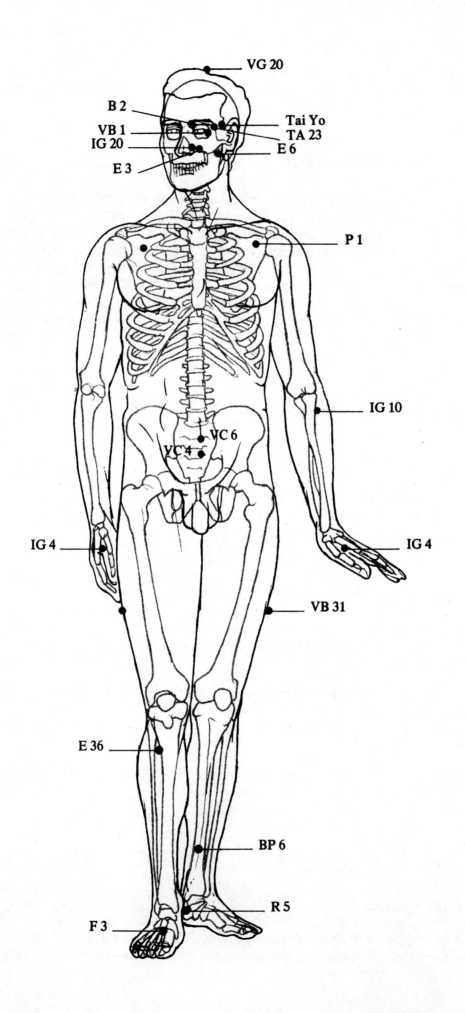

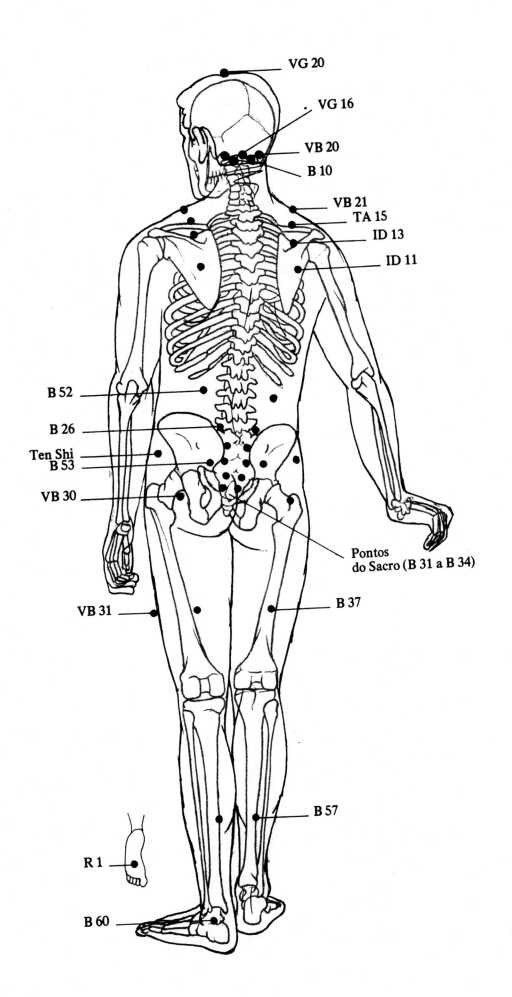

natural. Normalmente apresentam a musculatura contraída, mantendo os ombros rodados para frente, numa postura que restringe a respiração, ou tensionados para cima, num esforço constante e inconsciente. Certas pessoas desenvolvem verdadeiros "muques" nos ombros. Quando aplicamos shiatsu nesta área do corpo muitas vezes sentimos esta "estrutura" de tensão desabar sob nossas mãos.

Na nuca encontramos muitos nervos e terminações nervosas, o que a torna muito sensível. As articulações das vértebras cervicais são delicadas e podem se deslocar com facilidade. As pressões nessa parte do corpo são sempre suaves, cuidadosas.

Tensão e emoções reprimidas podem tornar a musculatura da nuca rígida e dolorida, restringindo os movimentos do pescoço. Usamos alongamentos para "soltar" esses músculos e restabelecer o livre fluxo energético. Na borda inferior do occipital (osso posterior do crânio) encontramos tsubos importantes. Shiatsu nesses pontos estimula o sistema nervoso central e intensifica o nível de nossa consciência. São ótimos pontos para tensão e dor de cabeça.

Pontos principais:

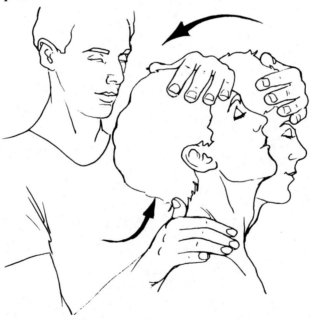

Pressionando VG 16.

VG 16 Fu Fu

Localização: Na parte superior da nuca, na depressão central logo abaixo do osso occipital.

Pressão: Firme porém suave, normalmente feita com o polegar, ligeiramente de baixo para cima, de encontro à borda inferior do occipital.

Ação: Atua sobre a consciência. Alivia dores e tensão na cabeça e no pescoço. Relaxa e acalma. Útil nos casos de resfriado e insônia.

Observação: Pressão nesse tsubo atinge o bulbo (medula oblonga). O bulbo é parte do sistema nervoso central, localizado logo acima da medula espinhal. Controla importantes reflexos orgânicos, como a respiração e o ritmo cardíaco.

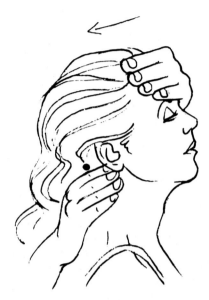

Pressionando VB 20.

VB 20 Fu Chi

Localização: Na nuca, nas duas depressões laterais abaixo das extremidades do occipital, ao lado de um músculo (o trapézio).

Pressão: Firme e suave, de baixo para cima, de encontro ao osso occipital. Utilizamos o polegar, ou o polegar e indicador pegando os dois lados ao mesmo tempo.

Ação: Tem efeito sobre a consciência, ajudando a acalmar a mente e a nos fazer sentir mais centrados. Atua sobre a visão, audição e sistema nervoso. Dor de cabeça, tensão na nuca, resfriados.

Ponto complementar: B 10
Localiza-se entre o VG 16 e o VB 20, sobre o músculo trapézio. Complementa a ação destes dois pontos.

VB 21 Ken Sei ("o poço no ombro")

Localização: Sobre os ombros, no centro, na linha do mamilo.

Pressão: De intensidade média, quase perpendicular ao ombro, mas pegando um pouquinho por trás. Usamos o "calcanhar" das mãos, os polegares, às vezes os cotovelos.

Ação: É o ponto pivô da enorme tensão que se acumula nos ombros. Freqüentemente nele encontramos um "nó",

Pressionando VB 21.

um "caroço" de tensão. Relaxa os ombros, numa ação que se estende pelos braços e nuca. Diminui a irritação nervosa.

Pontos complementares: *ID 13 e TA 15*
O ID 13 localiza-se na borda superior da escápula, quase em linha com o VB 21, no ângulo formado entre a escápula e a espinha da escápula. O TA 15 situa-se entre o VB 21 e o ID 13.

Temos então três pontos próximos e quase em linha que podem ser pressionados juntos, com o calcanhar das mãos, bastando para isso apenas uma pequena alteração no ângulo da pressão para pegar mais um ou outro ponto.

Também importante: *ID 11*
Situado numa depressão no centro das escápulas. Principiantes normalmente acham esse ponto um pouco difícil de ser localizado. Ele é muito sensível, já que atinge ramos do plexo nervoso dos braços, e deve ser pressionado suavemente. Tem ação sobre as escápulas e ombros, provocando forte reflexo ao longo dos braços.

As costas

As costas também acumulam muita tensão, principalmente na sua parte inferior. A região lombar suporta o peso de todo o tronco, da cabeça, dos braços e dos órgãos abdominais. As articulações lombares são bastante móveis —

permitem uma amplitude de movimentos bem maior do que as articulações das vértebras torácicas, sendo assim mais suscetíveis a deslocamentos (subluxações). Essa é, portanto, uma área frágil e sobrecarregada — mais ainda se levamos uma vida sedentária e temos a musculatura abdominal fraca. E a flexibilidade e saúde da coluna e das costas são fundamentais para a sensação de bem-estar físico.

Nas costas temos uma série de pontos importantes — os pontos Associados. Estes pontos pertencem ao meridiano da Bexiga, mas são associados a *todos* os meridianos principais — e às funções orgânicas a eles relacionadas. Vamos estudar esses pontos no capítulo de diagnóstico dos meridianos.

B 52

O ponto B 52 não pertence à série de pontos Associados, mas é importante para relaxar a região lombar. Situa-se numa linha imaginária eqüidistante da costela mais baixa e da borda superior da bacia (entre a 2.ª e 3.ª vértebras lombares), sobre o longo músculo que corre paralelo à coluna (um pouco para fora de sua parte mais alta). O *B 52* fortalece o tanden (área do baixo-ventre), e as funções renal, digestiva e sexual.

Sacro e nádegas

Os pontos do sacro e das nádegas liberam tensões lombares e menstruais, e estimulam a função sexual. A parte superior das nádegas é o "ombro" das pernas — está para as pernas assim como o ombro está para os braços. Sua musculatura pode acumular muita tensão, se tornando rígida e dolorida.

Pontos principais:

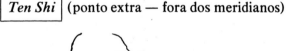

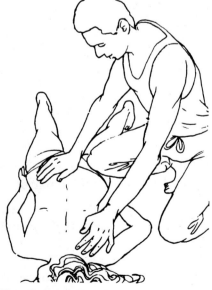

Pressionando Ten Shi com o joelho.

Localização: Sobre a musculatura glútea, 4 dedos* abaixo da proeminência do osso do quadril.

Pressão: De intensidade média, feita com o joelho, com o cotovelo ou com o polegar, de fora para dentro — em direção ao sacro. Se o ponto estiver sensível, diminua a pressão.

Ação: Alivia tensão lombar e menstrual. Bom para pernas cansadas. Atua sobre as funções sexual e digestiva.

VB 30 Kan Chyo

Localização: Em relação ao Ten Shi, situa-se mais abaixo e para dentro, no fundo da larga depressão que a musculatura glútea forma na parte lateral das nádegas. Essa depressão é mais visível quando a musculatura glútea está contraída.

Pressão e Ação: Iguais às do Ten Shi (n.º 4).

Outro ponto: B 53
Também utilizamos o B 53, localizado entre o Ten Shi e a linha média do corpo, junto à borda lateral do sacro.

B 26 Kan Gen Yu

Localização: Entre a 5ª vértebra lombar e o sacro.

Pressão: De intensidade média, com os polegares, ligeiramente para cima, em direção à cabeça.

Ação: Alivia tensão lombar ou menstrual. Atua sobre as funções sexual e digestiva.

Pontos do sacro (B 31 a B 34)

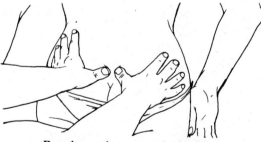

Pressionando pontos do sacro.

Localização: Localizam-se nos orifícios do sacro.

Pressão: Média para forte, com os polegares, perpendicular aos pontos (diretamente para baixo).

Ação: Especial para tensão e dores menstruais, também para tensão lombar e revigoração sexual.

(*) Relacionado aos dedos da pessoa em quem você estiver trabalhando. Se você estiver medindo alguém menor ou maior que você com seus dedos, considere a diferença de proporções, e compense na direção necessária.

Parte posterior das pernas

B 37 e B 57

O B 37 localiza-se bem no centro da face posterior da coxa e o B 57 onde o tendão de Aquiles encontra a musculatura da batata da perna (músculos gastrocnêmicos, ou gêmeos).

Pressão no B 37 e B 57 ajuda a relaxar a musculatura contraída das pernas por excesso de exercícios ou atividade, casos em que esses pontos se tornam bastante sensíveis. Atuam também sobre a região lombar.

Pés

Nos pés encontram-se terminações nervosas dos órgãos e músculos de todo o corpo. Existem sistemas terapêuticos (como a Reflexologia) baseados somente em pressões e massagem nos pés para tratar problemas em qualquer parte de nosso organismo. Falta de exercício físico e o uso constante de sapatos tornam os pés doloridos. Shiatsu nos pés alivia essas dores, relaxa todo o corpo e tem um efeito regulador no funcionamento dos órgãos internos. Pressionar o tendão de Aquiles também alivia o cansaço nos pés e pernas. O tendão de Aquiles é relacionado com as funções sexual e urinária.

Pontos principais:

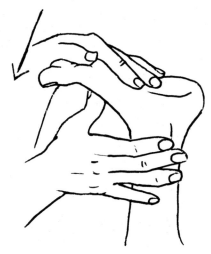

Pressionando F 3.

F 3 Tai Chu

Localização: No peito do pé, no ângulo entre o 1º e 2º metatarsos.

Pressão: De intensidade média, e para cima (na direção do calcanhar), feita com o polegar.

Ação: Tem ação relaxante sobre todo o corpo. Ativa energia geral. Relaxa pés cansados. Esse ponto pode se tornar sensível no caso de distúrbios hepáticos.

R 1 Yu Sen ("fonte que jorra")

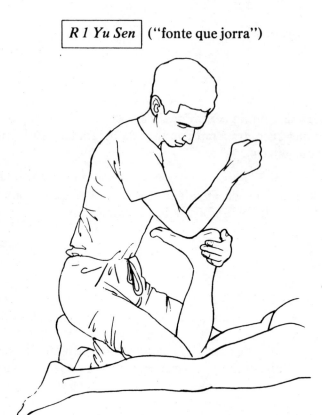

Pressionando R 1.

Localização:	No centro da ruga formada na sola do pé quando flexionamos os dedos.
Pressão:	Média para forte, e perpendicular ao ponto, com o cotovelo ou os polegares. Se estiver sensível diminua a pressão.
Ação:	Esse tsubo é considerado uma "fonte" de energia — pressão nesse ponto ativa energia geral do corpo, atingindo todo o organismo.
Outros pontos:	*R 5 e B 60*

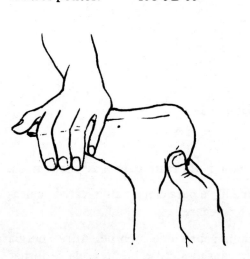
Pressionando R 5.

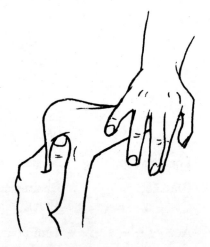
Pressionando B 60.

Localização:	R 5 — Trace uma diagonal de 45° partindo do ponto mais alto do maléolo interno (maléolo é a saliência óssea do tornozelo) em direção ao calcanhar. Este tsubo se situa onde essa diagonal encontra a borda superior do osso do calcanhar (osso calcâneo). B 60 — No ponto intermediário entre a base do maléolo externo e o tendão de Aquiles, na borda superior do osso do calcanhar.
Pressão:	Pontos sensíveis. Pressão suave em direção ao osso do calcanhar, feita com o polegar.
Ação:	Pontos relacionados às funções sexual e urinária.

Hara (*Área Abdominal*)

O hara é o centro de nossa energia ki. Nele se concentram órgãos digestivos. É a "raiz" do corpo, onde a energia dos alimentos é transformada em energia vital. Reflete o estado geral de saúde do indivíduo, e também desequilíbrios específicos. Se o hara é saudável (macio e flexível, sem áreas doloridas), mesmo que a pessoa esteja doente, seu organismo é forte, e sua recuperação deve ser rápida. Se o hara é fraco (apresenta áreas muito sensíveis, duras, ou flácidas), mesmo que a pessoa aparentemente esteja bem, não pode ser considerada saudável — seu organismo não está funcionando apropriadamente. Assim, o hara reflete o potencial de saúde.

No zen shiatsu, o hara é a principal área de diagnóstico. Pelo hara podemos verificar as condições de cada um dos meridianos principais e de todas as funções orgânicas do corpo. O diagnóstico do hara representa para o zen shiatsu o que o diagnóstico do pulso representa para a acupuntura. No Japão existem especialistas em aplicar shiatsu no hara. Essa terapia é conhecida por ampuku.

No hara encontramos nosso centro de gravidade natural. Diversas técnicas e artes marciais orientais, como o karatê, o t'ai chi, a dança noh, o próprio shiatsu, e tantas outras, destacam a importância do praticante estar com a consciência centrada no seu hara. Os movimentos devem partir do hara, para que sejam executados com equilíbrio e utilizando a energia ki.

Quando centramos nossa consciência no hara, nos sentimos equilibrados também psicológica e emocionalmente. O zen-budismo e outras escolas espirituais recomendam que o discípulo mantenha-se atento ao hara para alcançar o estado de "não-mente" (Mu). As emoções refletem-se imediatamente no hara — observe como a área abdominal fica tensa quando nos sentimos ansiosos, com raiva, ou sob a influência de qualquer outra emoção forte. Se massageamos o hara e ele relaxa, a emoção se dissipa.

Sendo considerado o centro da vida, naturalmente também é o da morte: no Japão o suicídio é tradicionalmente provocado pelo hara kiri, cujo significado é "cortar o hara".

O HARA E A ENERGIA SEXUAL

Tanden (área do baixo-ventre) é a parte do hara onde se conserva a energia ki. Diz-se que monges zen-budistas são capazes de sentar-se sobre um bloco de gelo e derretê-lo — após longa prática de meditações e exercícios respiratórios que ativam a energia calorífica do hara. Sendo o "armazém" de nossa energia vital, a saúde do tanden é essencial para nossa força sexual. Pessoas que têm uma vida sexual sadia física e psicologicamente apresentam o tanden flexível e macio, não sentem desconforto quando essa área é pressionada.

Na seqüência normal de zen shiatsu tonificamos o tanden seguidamente por 10 minutos ou mais. Nele mantemos uma de nossas mãos durante praticamente todo o período em que estamos trabalhando a parte da frente do corpo do paciente.

Ponto principal:

Trabalhamos vários pontos e áreas importantes no hara. Vamos aprender a tratar e diagnosticar essa área do corpo nos capítulos "Como Aplicar o Zen Shiatsu" e "Diagnóstico no Zen Shiatsu". No entanto, um tsubo merece destaque especial:

Pressionando VC 4.

| VC 4 Kan Gen | ("porta da essência vital")

Localização:	Na linha média do abdômen, quatro dedos abaixo do umbigo.
Pressão:	De intensidade média, para dentro e ligeiramente para cima (em direção ao umbigo), feita com o polegar, a ponta dos dedos ou a palma da mão. No caso de sensibilidade, diminua a pressão.
Ação:	Estimula a energia vital. Quando pressionamos esse tsubo chegamos a sentir a energia "crescendo", um calor que se irradia dentro de nós. Ativa e equilibra a função sexual. Esse ponto é erroneamente chamado de "hara", já que a palavra hara se refere à área abdominal como um todo.
Outro ponto:	*VC 6 Ki Kai* ("mar de energia") Como o VC 4, também é conhecido por "hara". Localiza-se dois dedos abaixo do umbigo. Centro energético e relacionado à função sexual.

Pernas

As pernas estão ligadas aos órgãos pelos meridianos yin e yang que por elas sobem e descem. Shiatsu nas pernas desobstrui o fluxo energético dos meridianos, revigora e levanta a energia geral do paciente. Atividades que exercitem as pernas são fundamentais para mantermos a saúde e conservarmos uma aparência jovem e vigorosa através dos anos.

A parte da frente da coxa é relacionada ao estômago e aos intestinos, a face interna à sexualidade e a externa à energia geral.

Pontos principais:

VB 31 Fu Shi

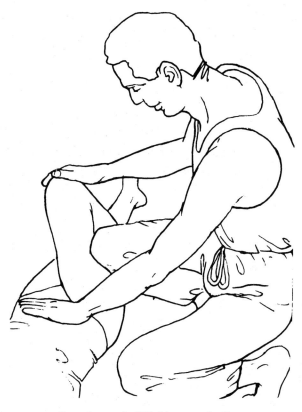

Pressionando VB 31 com o joelho.

Localização:	Aproximadamente no meio da face externa da coxa. Fique de pé com os braços estendidos para baixo — você achará o VB 31 no local onde o dedo médio de sua mão tocar a linha média da face externa da coxa.
Pressão:	Suave ou média, dependendo da sensibilidade do tsubo. A pressão é perpendicular ao ponto, feita com o cotovelo, o joelho, o calcanhar da mão ou o polegar.
Ação:	Ativa energia geral e relaxa pernas tensas ou cansadas.

E 36 Ashi San Ri ("três milhas")

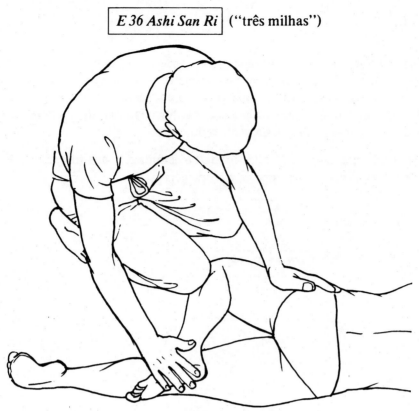

Pressionando E 36 com o joelho.

Localização: No lado externo da perna, a quatro dedos abaixo da patela (rótula), entre a parte superior da tíbia (osso da canela) e um músculo (o tibial anterior). Esse ponto é mais fácil de ser localizado com a perna dobrada.

Pressão: Esse tsubo é sensível. Pressão suave porém firme, perpendicular ao ponto, com o polegar ou joelho.

Ação: Revitaliza energia ki e todo o organismo.

BP 6 San Yin Ko ("encontro dos 3 yin")

Pressionando BP 6 com o calcanhar da mão direita.

Localização:	4 dedos acima do maléolo interno, junto à tíbia.
Pressão:	Esse ponto é sensível. Pressão firme e suave, com o polegar ou calcanhar da mão, para dentro e em direção à tíbia.
Ação:	Nesse ponto se cruzam os três meridianos yin das pernas — Rim, Fígado e Baço-Pâncreas. É um tsubo muito usado. Ação geral sobre a energia do corpo. Relacionado às funções sexual e urinária, principalmente na mulher. Se o ponto estiver muito sensível, pode ser sinal de desequilíbrio dessas funções.

Tórax

Quando a mãe quer confortar o seu bebê, pega-o no colo e o traz junto ao peito. Quando sentimos afeição por alguém, temos vontade de abraçar essa pessoa, de trazê-la ao nosso peito. Experimente "abraçar" você mesmo. Cruze os braços suavemente na frente do corpo, com as mãos encostando nos ombros opostos. Veja que sensação gostosa.

No tórax encontra-se o centro energético (chacra) do Coração, ligado à afetividade. No tantra shiatsu é freqüentemente tocado com o intuito de para ele canalizar energia, ou para conectá-lo a outros centros. No zen shiatsu também podemos utilizá-lo. Localiza-se no centro do tórax, sobre o esterno (osso dianteiro do peito), aproximadamente na mesma linha dos mamilos.

Shiatsu no tórax atua sobre as funções respiratória e circulatória, e sobre a musculatura peitoral. Um tórax relaxado "solta" a respiração e nos traz profunda sensação de bem-estar.

Ponto principal:

> **P 1 Chu Fu**

Localização:	Na parte superior do tórax, sobre a musculatura peitoral, aproximadamente dois dedos abaixo do meio da clavícula.
Pressão:	Firme e suave, com o calcanhar da mão, "polpa" dos dedos ou polegar.
Ação:	Ajuda a soltar a respiração, o tórax e os ombros. Relacionado à função respiratória. Emoções reprimidas podem tornar esse tsubo tenso e sensível.

Braços e mãos

Nos braços e mãos encontram-se alguns pontos importantes, que ativam a energia geral e ajudam a dissolver as tensões acumuladas nas mãos, braços e ombros. Como muitos meridianos terminam ou começam na ponta dos dedos, shiatsu nas mãos e dedos relaxa o corpo todo e ajuda a equilibrar o funcionamento dos órgãos internos. Em especial, atua nas situações de cansaço provocado por trabalho manual ou intelectual.

Pontos principais:

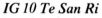
IG 4 Go Koku

Localização: Nas costas da mão, entre o 1º e 2º metacarpos (ossos da mão entre o pulso e os dedos), junto à metade do 2º.

Pressão: Ponto sensível. Pressão suave porém firme, com o polegar, em direção ao 2º metacarpo.

Ação: Energia e saúde geral. Ajuda a relaxar tensão nas mãos, braços, ombros e face. Ponto muito utilizado em todas as terapias orientais. Pode se tornar sensível no caso de distúrbios intestinais.

IG 10 Te San Ri

Pressionando IG 4 e IG 10.

Localização: Na parte externa do antebraço, dois dedos de distância do final da ruga que se forma quando flexionamos o cotovelo, sobre um músculo.

Pressão: Ponto sensível. Pressão suave porém firme com o polegar, perpendicular ao ponto.

Ação: Energia e saúde geral. Tensão nos braços e ombros.

Cabeça e face

A cabeça aloja o cérebro, e também a maioria dos órgãos dos sentidos — através dos quais percebemos o mundo exterior. O homem moderno é muito centrado em seus pensamentos, vive num estado de tensão mental. Shiatsu na cabeça e face relaxa a mente e afeta nosso nível de consciência. Pelo seu efeito tranqüilizante e harmonizante, normalmente terminamos uma aplicação de shiatsu trabalhando esta parte do corpo.

Na cabeça encontram-se vários tsubos importantes. No topo da cabeça, na base do osso occipital, na testa e nas têmporas temos vários pontos de ação calmante e relaxante. Trazem alívio nos casos de dor de cabeça ou cansaço mental. O globo ocular pode refletir a tensão mental, tornando-se rígido e protuberante. Para relaxá-lo tocamo-lo suavemente por cima das pálpebras fechadas. Já a tensão observada nas áreas de articulação dos maxilares e nas faces laterais do pescoço é associada a emoções reprimidas.

A face é muito expressiva. Nela nossas emoções e sentimentos se mostram com grande clareza. Por isso é importante observarmos com atenção a face do paciente durante a aplicação do shiatsu. É uma maneira que temos para detectar as sensações que nossas pressões e toques possam provocar.

Pontos principais:

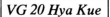

Pressionando VG 20.

Localização:	No topo da cabeça, no centro, no cruzamento da linha que conectaria as duas orelhas com a linha média da cabeça.
Pressão:	De suave para média, com o polegar.
Ação:	Acalma a mente e diminui a tensão nervosa. Ajuda a tratar a dor de cabeça.

E 3 Kyo Sho

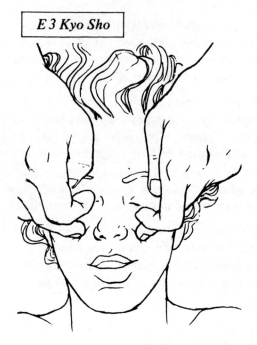

Pressionando E 3.

Localização:	Na frente da face, diretamente abaixo do centro dos olhos, na altura da base da asa do nariz.
Pressão:	Com o dedo médio ou indicador, ligeiramente para cima, contra o osso da maçã do rosto (malar). Pressione os dois lados simultaneamente.
Ação:	Relaxa tensão facial. Traz certo alívio nos casos de congestão nasal.
Ponto auxiliar:	*IG 20*

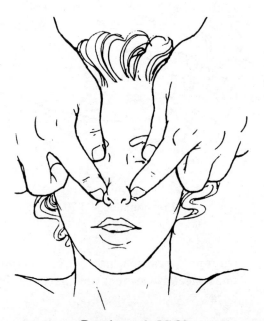

Pressionando IG 20.

Localização:	Nas depressões ao lado das asas do nariz. Tipo de pressão e ação igual ao E 3.

| E 6 Kyo Shya |

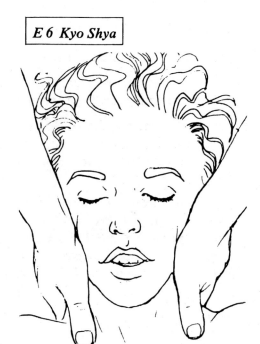

Pressionando E 6.

Localização:	Na articulação dos maxilares. Para achá-lo com maior facilidade abra e feche a boca algumas vezes enquanto toca a área do ponto.
Pressão:	No caso de tensão dos maxilares este tsubo se torna bastante sensível. Pressão firme e suave, com os polegares ou calcanhar das mãos. Pressione os dois lados ao mesmo tempo, uma pressão direcionada de encontro à outra.
Ação:	Diminui a tensão dos maxilares.

| Tay Yo | (ponto extra — fora dos meridianos)

Pressionando Tai yo.

Localização:	Nas têmporas, na depressão entre a extremidade externa das sobrancelhas e a parte de cima das orelhas.
Pressão:	Firme e suave, com os polegares ou calcanhar das mãos, uma pressão direcionada de encontro à outra.
Ação:	Mobiliza e centra nossa consciência. Ajuda a acalmar tensão mental e a eliminar dor de cabeça. Traz nova energia aos olhos cansados. Relaxa os maxilares.
Pontos auxiliares:	*VB 1* e *TA 23* VB 1 fica próximo ao canto externo dos olhos. TA 23 fica na extremidade externa das sobrancelhas. Podemos pressionar Tai Yo, VB 1 e TA 23 um a um, usando o polegar, ou os três ao mesmo tempo, com o calcanhar da mão. Pressione os dois lados ao mesmo tempo.
Outro ponto:	*B 2* Localiza-se um pouquinho abaixo da ponta interna das sobrancelhas. A pressão é suave, feita com os indicadores, pegando ligeiramente de baixo para cima.

III. Anatomia, fisiologia e shiatsu

O estudo da anatomia e fisiologia humana abre nossa compreensão para a complexa maravilha que é o funcionamento orgânico do corpo.

O sistema energético no qual o shiatsu se baseia desenvolveu-se milhares de anos antes dos conhecimentos modernos de anatomia e fisiologia. No entanto, esses conhecimentos são importantes para melhor entendermos as funções dos meridianos de energia (que são diretamente relacionados às diversas funções orgânicas) e a ação do shiatsu em geral.

Sistema Ósseo

Aparelho de sustentação e "moldura" protetora dos órgãos. É a "estrutura" do nosso corpo, formada normalmente por 206 ossos, que se ligam através de articulações que tornam possível o movimento.

Os ossos são tecido vivo. Na sua composição encontramos substâncias minerais (carbonato e fosfato de cálcio) e orgânicas. Possuem glóbulos brancos e vermelhos, vasos sangüíneos e linfáticos, e nervos. Apresentam sensitividade. As células vivas são responsáveis pelo desenvolvimento dos ossos durante o período de crescimento e pela sua recuperação após uma fratura.

Quanto aos ossos, os seguintes termos são empregados:

processo ou *apófise* — é uma saliência óssea
trocanter — um processo largo
espinha — processo comprido e fino
tubérculo — pequeno processo arredondado.
tuberosidade — processo arredondado largo.
fossa — depressão.
forame ou *forâmen* — orifício.

As articulações (junturas) ósseas podem ou não permitir movimentos entre os ossos. As articulações entre os ossos do crânio, por exemplo, oferecem mobi-

Agrupamentos ósseos principais

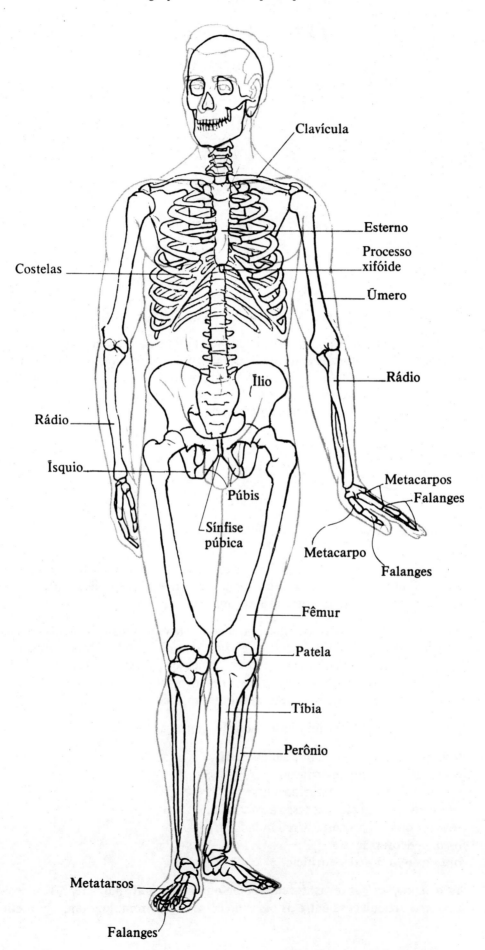

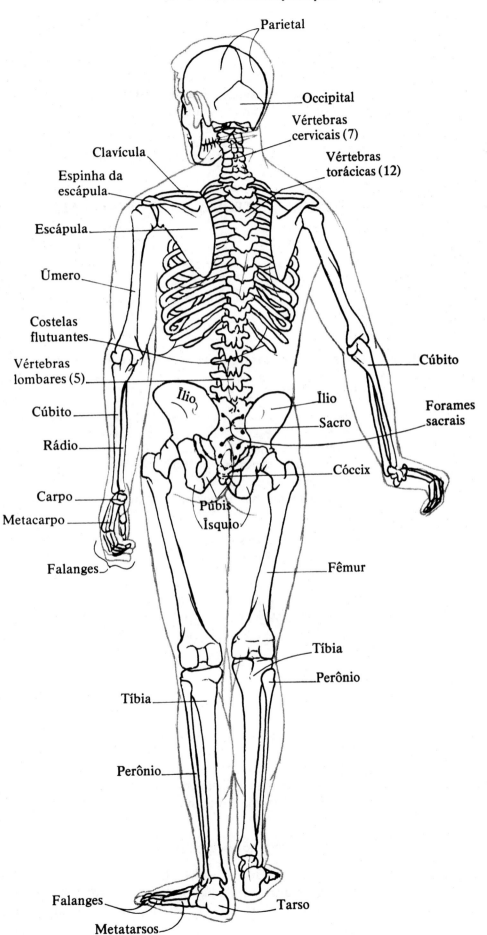
Agrupamentos ósseos principais

lidade extremamente reduzida. O tipo de articulação que oferece maior mobilidade é a sinovial (joelhos, cotovelos, ombros etc.).

Nas junturas sinoviais encontramos os *ligamentos*. São tecidos fibrosos, fortes e flexíveis, que ligam os ossos — ajudando a mantê-los em seus lugares, impedindo que eles "resvalem" uns sobre os outros, e limitando a amplitude dos movimentos articulares.

AGRUPAMENTOS ÓSSEOS PRINCIPAIS

Esqueleto axial

Consiste dos ossos do crânio e face, coluna vertebral e tórax.

CRÂNIO

Os ossos do crânio são em número de 8. Suas articulações são rígidas. Temos:
1 *occipital*
1 *frontal*
2 *parietais*
2 *temporais*
1 *esfenóide* (encravado no meio dos ossos na parte da frente da base do crânio)
1 *etmóide* (encravado no osso frontal).

FACE

14 ossos angulares e irregulares. A estrutura do nariz é em grande parte formada por cartilagem.

Ossos principais:
2 *maxilares superiores*
1 *maxilar inferior* (ou mandíbula)
2 *malares* (ossos da maçã do rosto)
2 *nasais*
2 *lacrimais*
etc.

COLUNA VERTEBRAL

É o suporte central do esqueleto. Dá apoio aos órgãos internos e abriga a *medula espinhal*, que se liga a todo o corpo através do sistema nervoso periférico. Lesões na coluna podem interferir nos movimentos do corpo e, através do sistema nervoso autônomo, no funcionamento dos órgãos.

A coluna é formada pelas vértebras. Temos:

7 *cervicais* — Grupo flexível de vértebras, de articulações delicadas que, no conjunto, permitem boa amplitude de movimentos. A 1ª, 2ª e 7ª vértebras apresentam formatos

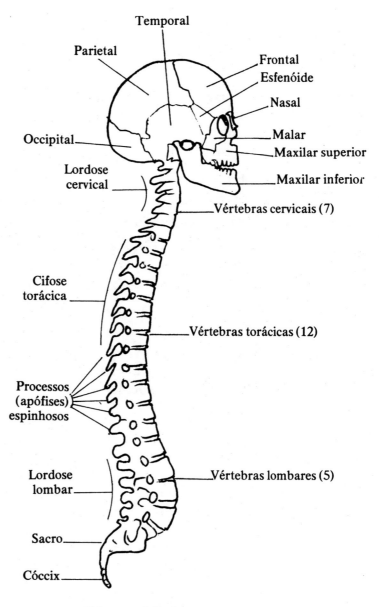

Coluna vertebral

singulares. São chamadas respectivamente *atlas*, *áxis* e *proeminente*.

12 *torácicas* ou *dorsais* — Grupo bastante rígido de vértebras. Articulam-se com as 24 costelas. Com elas e com o esterno formam a caixa torácica.

5 *lombares* — Grupo com as maiores vértebras da coluna, cujas articulações permitem razoável mobilidade. Suportam uma grande carga de peso, sendo especialmente sacrificadas pelo fato do homem ter se tornado bípede.

sacro — Formado por 5 vértebras fundidas. Se articula com os ossos dos quadris (ossos ilíacos), formando com eles a bacia.

cóccix — Formado por pequenas vértebras fundidas, cujo número normalmente varia em torno de 4. É o "rabinho" do ser humano.

TÓRAX

A caixa torácica abriga o coração e os pulmões. É uma estrutura de certa flexibilidade, capaz de se contrair e expandir acompanhando a respiração.

Ossos:
24 *costelas*
esterno

As *costelas* se dividem em verdadeiras, falsas e flutuantes.

As verdadeiras (7 pares) se prendem diretamente ao esterno.

As falsas (3 pares) se ligam ao esterno de forma indireta.

As flutuantes (2 pares) não se prendem ao esterno, só à coluna.

O *esterno* é um osso ímpar, localizado na parte da frente do tórax. Apresenta três partes fundidas: punho ou manúbrio, corpo e processo xifóide.

Esqueleto apendicular

Bem mais móvel que o esqueleto axial, consiste nos ombros e quadris, membros superiores e inferiores. Liga-se ao esqueleto axial através das cinturas — escapular (ombros) e pélvica (quadris). Fraturas nos ossos do esqueleto apendicular são mais comuns, porém bem menos sérias do que nos do esqueleto axial.

CINTURA ESCAPULAR (ombros)

Ossos:
escápula (ou omoplata)
clavícula

A escápula só se prende ao esqueleto axial através de músculos.

Por isto em algumas pessoas ela parece tão "solta".

MEMBROS SUPERIORES

Ossos:
do *braço* — *úmero*
do *antebraço* — *cúbito* (ou ulna — lado do dedo mínimo)
        rádio (lado do polegar)
do *pulso* — *carpo* (8 ossos)
da *mão* — 5 *metacarpos*
dos *dedos* — 14 *falanges*.

O *úmero* se articula com a escápula de forma bastante solta, permitindo grande mobilidade ao braço.

As *falanges* são numeradas de 1ª a 3ª, sendo a 1ª a mais próxima da mão. Ou: falange (proximal), falanginha (média) e falangeta (distal).

Os *metacarpos* são numerados de 1º a 5º, sendo o 1º o que se articula com a falange proximal do polegar.

CINTURA PÉLVICA (Pelve ou quadris)

A pelve feminina é mais larga que a masculina, para ser capaz de abrigar o feto em desenvolvimento.

É composta pelos 6 *ossos ilíacos*: 2 *ílios*
$\qquad$ 2 *ísquios*
$\qquad$ 2 *púbis*

Cada ílio se articula com o sacro na sua parte superior, e com 1 ísquio e 1 púbis na sua parte inferior. O ílio, o ísquio e o púbis formam o osso do quadril. O osso do quadril do lado esquerdo se articula com o do lado direito na frente do corpo, através da sínfise púbica (articulação entre os púbis).

MEMBROS INFERIORES

Ossos:
da *coxa* — *fêmur*
da *perna* — *tíbia*
$\qquad$ — *perônio* (ou fíbula)
do *joelho* — *patela* (ou rótula)
do *pé* — *tarso* (7 ossos — entre eles o calcâneo)
$\qquad$ — 5 *metatarsos*
dos *dedos* — 14 *falanges*.

O *fêmur* é o osso mais longo do corpo. Observe que sua forma faz com que o peso do corpo incida diretamente sobre os pés.

A articulação entre o fêmur e a pelve (articulação coxofemural) é firme, com um encaixe profundo e fortes ligamentos. Por isto os movimentos da perna em relação ao tronco são bem mais restritos do que os do braço.

A *tíbia* é um osso muito robusto, feito para suportar o peso do corpo.

Os *pés* são estruturas feitas para suportar o peso do corpo todo. Por isso, quando aplicamos shiatsu nas solas, podemos utilizar pressões fortes.

A numeração dos *metatarsos* e *falanges* dos pés é similar à dos metacarpos e falanges das mãos.

Sistema Muscular

O tecido muscular é elástico, apresenta propriedade de retornar imediatamente à sua forma original, podendo se contrair ou estender. Tensões nos levam a inconscientemente manter determinados grupos de músculos contraídos de forma contínua, até mesmo durante o sono. Formam-se verdadeiros "nós" musculares, que causam dor física e desconforto psicológico, e limitam a livre movimentação do corpo. É importante trabalharmos nosso corpo, para mantermos a musculatura flexível e o corpo-mente equilibrado.

CLASSIFICAÇÃO DOS MÚSCULOS

Temos três tipos básicos de músculos:

1) *Estriados*

São músculos de controle voluntário, ligados ao esqueleto. Sua função é operar os ossos do corpo, produzindo movimento. Somam mais de 400.

2) *Lisos*

São músculos de controle involuntário. São encontrados nas paredes dos vasos sangüíneos e órgãos internos. Operam os movimentos viscerais. Exceção: musculatura da bexiga — lisa, porém voluntária.

3) *Músculos cardíacos*

São estriados, porém de controle involuntário.

OS MÚSCULOS E OS MOVIMENTOS DO CORPO

As articulações móveis do esqueleto formam um sistema de alavancas. Os músculos atuam sobre estas alavancas. Os movimentos são produzidos basicamente por grupos musculares, e não por músculos isolados. Grupos musculares de funções complementares se colocam em oposição, e agem em conjunto. Assim, na parte interna do antebraço temos flexores, e na externa extensores; na face anterior da coxa encontramos extensores, e na posterior flexores, etc. Quando dizemos que um músculo é um flexor, estamos nos referindo à sua ação principal, já que cada músculo participa em diferentes movimentos. Por sua vez, mesmo os movimentos mais simples são complexos e envolvem a ação de vários músculos.

flexor: o que faz dobrar
extensor: o que faz estender
adutor: o que traz
abdutor: o que afasta
rotator: produz movimento de rotação em torno de um eixo.

Os *tendões* são feixes de fibras em que terminam os músculos. Ligam os músculos aos ossos. São alongados, fortes e flexíveis.

PRINCIPAIS MÚSCULOS E TSUBOS A ELES RELACIONADOS

Músculos que nos interessam na prática do shiatsu:

FACE

Masseter: músculo de mastigação. Pode se apresentar tenso e dolorido. O ponto *E 6* atua sobre ele.

Frontal: músculo delicado, de expressão facial, situado na testa.

Orbicular dos olhos: músculo de fechamento dos olhos. Os tsubos *VB 1* e *B 2* atuam sobre esse músculo.

Temporal: músculo mastigador, situado nas têmporas. Sobre ele age o tsubo *Tai Yo*.

PESCOÇO

Esternoclidomastóideo: importante músculo da face lateral do pescoço. Atua na rotação e flexão da cabeça. Começa no esterno e na clavícula, indo até a lateral do osso occipital.

NUCA E OMBROS

Trapézio: outro músculo de grande importância. Acumula grande tensão. Cobre a nuca, os ombros e parte das costas (região torácica). Ligado às doze vértebras torácicas e à 7ª cervical, ao occipital, à escápula e à clavícula. Atua nos movimentos do ombro e da cabeça. O ponto *B 10* situa-se sobre o trapézio, onde ele encontra o osso occipital. Outros tsubos que usamos para "soltar" esse e os outros músculos da nuca e dos ombros: *VB 20*, *VB 21*, *TA 15*, *ID 11*, *ID 13* e pontos do meridiano da bexiga na região torácica.

Esplênio da cabeça: situa-se na nuca, sob os músculos trapézio e esternoclidomastóideo, e entre eles. Atua em movimentos da cabeça, em conjunção com o esternoclidomastóideo. Atua sobre o esplênio da cabeça o tsubo VB 20, *que* se localiza entre ele e o trapézio.

COSTAS

Longo: é a longa faixa muscular que podemos sentir correndo paralela à coluna vertebral. Faz parte da musculatura profunda das costas, situando-se embaixo do trapézio, do grande dorsal, e de outros músculos. Forma, com o iliocostal e o espinhal, o músculo *eretor da espinha*. Sobre o músculo longo situam-se vários tsubos do meridiano da Bexiga, incluindo-se o *B 52* (ver pag. 48).

Grande dorsal: responsável pelo movimento de rotação interna do braço.

Rombóide (superior e inferior): músculos estabilizadores da escápula.

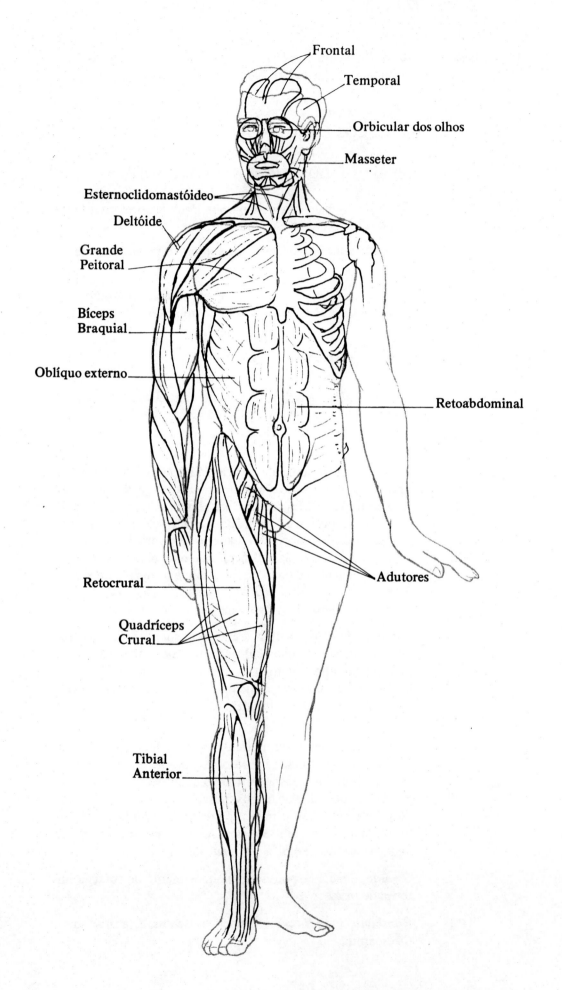

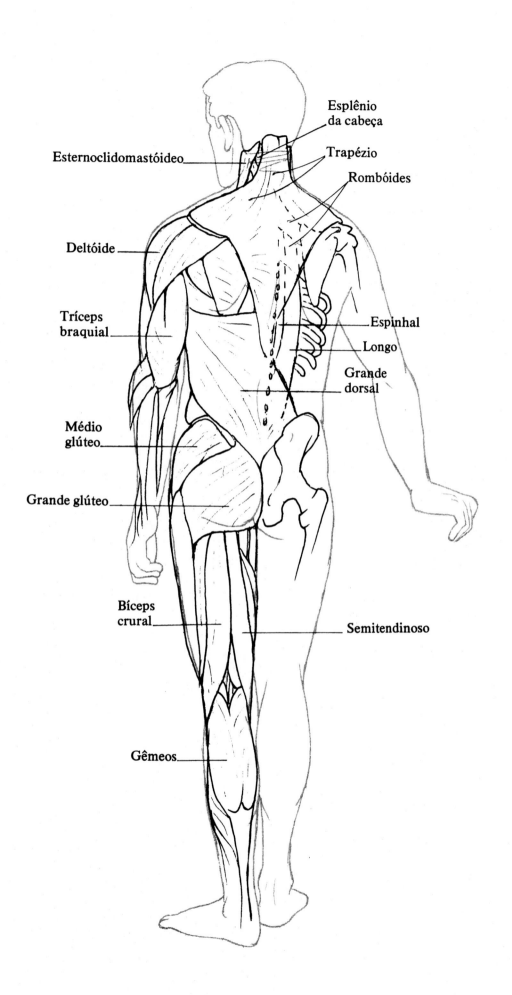

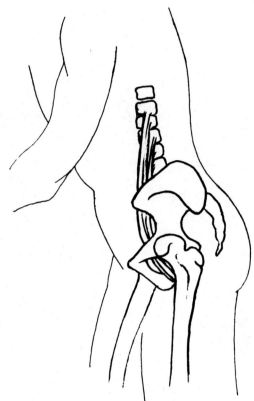

Músculo psoas-ilíaco.

REGIÃO LOMBAR E DOS QUADRIS	*Psoas-ilíaco*: *ilíaco*, *grande psoas* e *pequeno psoas* são importantes músculos posturais. São músculos profundos, ligados às vértebras lombares, à última torácica, ao osso ilíaco e ao fêmur. Agem como flexores dos quadris e estabilizadores da região lombar, tanto na posição sentada quanto de pé.
TÓRAX	*Grande peitoral*: origina-se na clavícula, no esterno e nas costelas, terminando na ponta superior do úmero (osso do braço). Atua em movimentos do braço (adução e rotação interna). Em algumas pessoas a musculatura peitoral se apresenta muito tensa. Principal tsubo relacionado: *P 1*.
MÚSCULOS DA RESPIRAÇÃO	*Diafragma*: é o "chão" da cavidade torácica, separando-a da cavidade abdominal. É o principal músculo da respiração. Contrai-se quando inspiramos e relaxa na expiração.
	Músculos intercostais: situam-se entre as costelas. São importantes músculos da respiração.
ABDÔMEN	*Retoabdominal*: atua na flexão do tronco. Situado embaixo dos oblíquos abdominais interno e externo.
	Oblíquo externo ou grande oblíquo do abdômen: rotação e inclinação lateral do tronco.

OMBRO	*Deltóide*: atua em vários movimentos do braço.
ESCÁPULA	*Supra-espinhoso*, *infra-espinhoso*, *redondo* (pequeno e grande) e *subscapular*: Movimentos do braço. Tsubos relacionados: *ID 11* e *ID 13*.
BRAÇOS	*Bíceps braquial*: flexão do braço. *Tríceps braquial*: extensor do braço.
ANTEBRAÇO	Na face interna do antebraço encontramos um grupo de músculos flexores e na face externa um grupo de extensores, que atuam nos movimentos do punho, da mão e dos dedos. O tsubo *IG 10*, visto anteriormente, situa-se sobre o músculo extensor dos dedos, que pode ser sentido na face externa do antebraço quando abrimos e fechamos a mão.
NÁDEGAS	*Glúteo* (grande, médio e pequeno): tem funções de extensão, flexão, abdução e rotação do fêmur. São importantes músculos posturais, que atuam na estabilização dos quadris quando ficamos de pé, andamos, corremos, escalamos etc. Podem acumular grande tensão, tornando-se rígidos e doloridos. Principais tsubos relacionados à musculatura glútea: *Ten Shi, VB 30* e *B 53*.
COXAS	*Quadríceps crural ou femural*: compõe a larga massa muscular da face anterior da coxa. Constitui-se de quatro músculos que convergem para um único tendão que se insere na tíbia. São eles: o retrocrural, o vasto externo, o vasto intermediário e o vasto interno. Atuam na extensão do joelho. O retrocrural também atua na flexão da articulação coxofemural (entre o fêmur e a pelve). *Adutores*: situados na face interna da coxa. Temos 3 adutores (longo, curto e grande adutor), o grácil (ou retointerno) e o pectíneo. Além da adução atuam na flexão, extensão e rotação da articulação coxofemural. *Bíceps crural e semitendinoso*: parte posterior da coxa. Ativos na flexão do joelho e na extensão da articulação coxofemural. Esses músculos são os que se contraem quando nos inclinamos para frente tentando tocar os pés com as mãos. Atrás dos joelhos dobrados podemos facilmente sentir os tendões desses músculos, que vão se inserir no perônio e na tíbia, respectivamente. O ponto *B 37* age sobre estes músculos.

PERNAS

Tibial anterior: atua em movimentos do pé e tornozelo. Sobre esse músculo, do lado da tíbia, encontramos o importante tsubo *E 36*.

Gêmeos ou gastrocnêmicos: músculos da batata da perna. Atuam nos movimentos dos pés e joelhos. Entre os músculos gêmeos encontramos o *B 57*.

Sistema Digestivo

A função básica do aparelho digestivo é transformar os alimentos ingeridos — através de ações mecânicas e reações químicas — preparando-os para serem absorvidos pelo organismo. Essa absorção se dá através de células da parede interior dos órgãos digestivos e de capilares (pequenos vasos) sangüíneos e linfáticos. A função digestiva se completa com a eliminação dos resíduos não aproveitáveis.

O sistema digestivo é um canal (*canal alimentar* ou *tubo digestivo*) que vai da boca ao ânus, "serpenteando" dentro do corpo na cavidade abdominal. Também fazem parte deste sistema os órgãos anexos, que produzem substâncias que são lançadas no tubo digestivo por pequenos canais, para auxiliar na digestão dos alimentos.

Shiatsu no hara, em áreas reflexas das costas e em determinados meridianos e tsubos contribui muito para equilibrar e fortalecer o funcionamento do sistema digestivo. Compare a localização dos órgãos digestivos com o trabalho de diagnóstico-terapia que realizaremos no hara (p. 146).

O TUBO DIGESTIVO

1) Boca: Com o auxílio dos dentes, língua e glândulas salivares o alimento é umedecido e triturado, ficando pronto para ser engolido. É a primeira etapa da digestão.

2) Faringe: Via de acesso comum aos alimentos e ao ar. Quando engolimos, uma pequena válvula (epiglote) fecha a entrada da laringe, impedindo que alimentos penetrem as vias respiratórias.

3) Esôfago: A faringe se bifurca em laringe e esôfago. A laringe leva aos brônquios, o esôfago ao estômago.

4) Estômago: Armazena a comida recém-ingerida e a prepara para o intestino delgado.

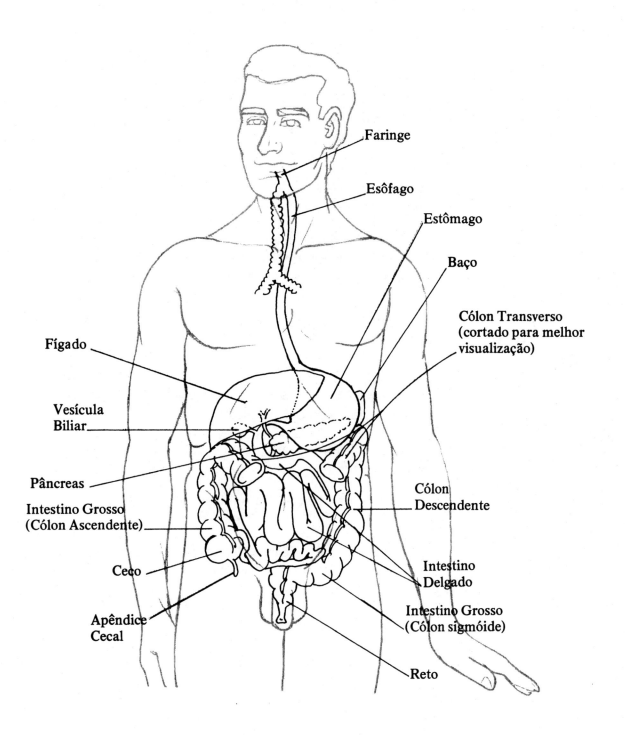

5) *Intestino delgado*: Continua o trabalho digestivo, com o auxílio das secreções do fígado e do pâncreas. Aqui ocorre a maior parte da absorção dos nutrientes. Divide-se em:

duodeno
jejuno
íleo

6) *Intestino grosso*: Mais largo, menor em comprimento e mais "arrumado" na cavidade abdominal que o intestino delgado. Absorve basicamente líquidos.

Divide-se em:

ceco
cólon ascendente
  transverso
  descendente
  sigmóide (local onde as fezes se acumulam antes de serem eliminadas)
reto
ânus

Os nutrientes absorvidos são levados ao fígado (pela veia porta), onde são tratados, armazenados e lançados na circulação sangüínea através das veias hepáticas, alcançando rapidamente o coração e daí todo o organismo.

OS ÓRGÃOS ANEXOS

Glândulas salivares: Localizadas próximas à boca, onde lançam secreções que ajudam a umedecer os alimentos.

Fígado: Produz a bílis, que é lançada no duodeno e auxilia na digestão de gorduras.

Vesícula biliar: Armazena bílis, lançando-a no duodeno no momento necessário.

Pâncreas: Produz enzimas que são lançadas no duodeno para auxiliar na digestão de proteínas, gorduras e carboidratos.

Baço: Filtra o sangue, colabora na formação da bílis, produz glóbulos brancos (função imunológica).

Sistema Circulatório

O aparelho circulatório é encarregado da circulação sangüínea. O sangue leva nutrientes e oxigênio às células do corpo, removendo resíduos e gás carbônico.

Esse aparelho é formado pelo coração e vasos sangüíneos. O coração é a "bomba" muscular que mantém o fluxo sangüíneo. Os vasos sangüíneos são as artérias, veias e capilares.

As artérias levam sangue do coração para o resto do corpo, e as veias retornam o sangue ao coração. Geralmente as artérias conduzem sangue arterial, rico em oxigênio, e as veias sangue venoso, que contém gás carbônico.

Os capilares são tubos de diâmetro muito fino. Através deles substâncias e gases se transferem do sistema vascular (dos vasos sangüíneos) para os tecidos do corpo, e dos tecidos de volta ao sistema vascular.

No sangue encontramos glóbulos vermelhos (hemácias) e brancos (leucócitos). Os glóbulos vermelhos são transportadores de oxigênio para o corpo. O oxigênio é recolhido nos pulmões e levado até os capilares, de onde alcança as células. Os glóbulos brancos desempenham importante papel imunológico. Combatem bactérias e defendem o organismo de infecções.

A pequena circulação é o percurso que o sangue venoso faz do coração aos pulmões, onde é purificado, e de volta ao coração. A grande circulação é feita pelo sangue arterial do coração a todas as partes do corpo, e dos tecidos do corpo de volta ao coração na forma de sangue venoso.

PRINCIPAIS ARTÉRIAS E VEIAS

As artérias nascem largas e vão se subdividindo e estreitando. As veias nascem pequenas e vão se alargando.

Artérias

TRONCO

Aorta: A principal artéria do corpo. É ela que muitas vezes sentimos pulsar fortemente quando tocamos o abdômen na altura do umbigo. Da aorta saem diversas artérias que vão alimentar os órgãos internos, o cérebro, os membros, enfim, o corpo todo.

Renal: Alimenta os rins.

CABEÇA

Carótida: A artéria carótida comum sai da seção ascendente da aorta. Vai se subdividir na carótida externa e carótida interna. A carótida externa alimenta a face, e a interna o cérebro.

BRAÇOS

Braquial: É continuação da artéria axilar, que — por sua vez — é continuação da artéria subclávia. Vai se ramificar nas artérias *radial* e *cubital*.

COXAS

Femural: A artéria aorta se bifurca na sua parte inferior, de modo a alimentar as pernas. *Ilíaca comum* é o nome dado às artérias resultantes dessa bifurcação. A ilíaca comum, por sua vez, vai se dividir nas ilíacas interna e externa. A *artéria femural* é a continuação da artéria ilíaca externa.

PERNAS

Tibial anterior, tibial posterior e *fibular*: A artéria femural continua sob o nome de artéria poplítea, e divide-se na perna nas *artérias tibial anterior, tibial posterior* e *fibular*.

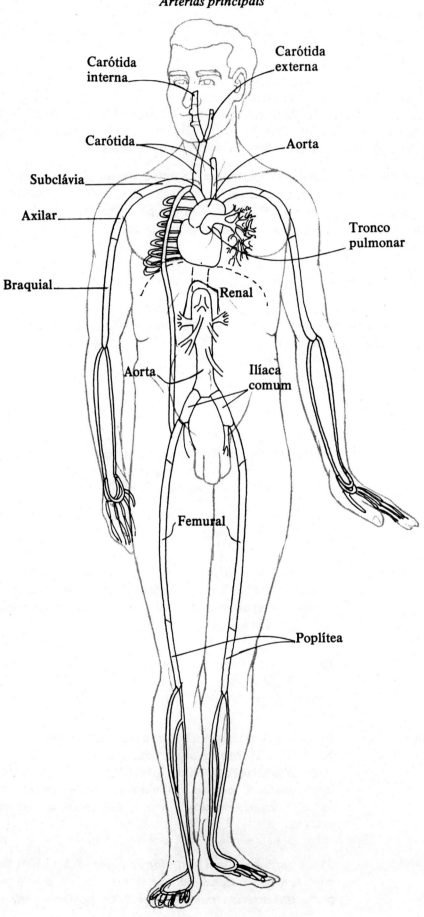

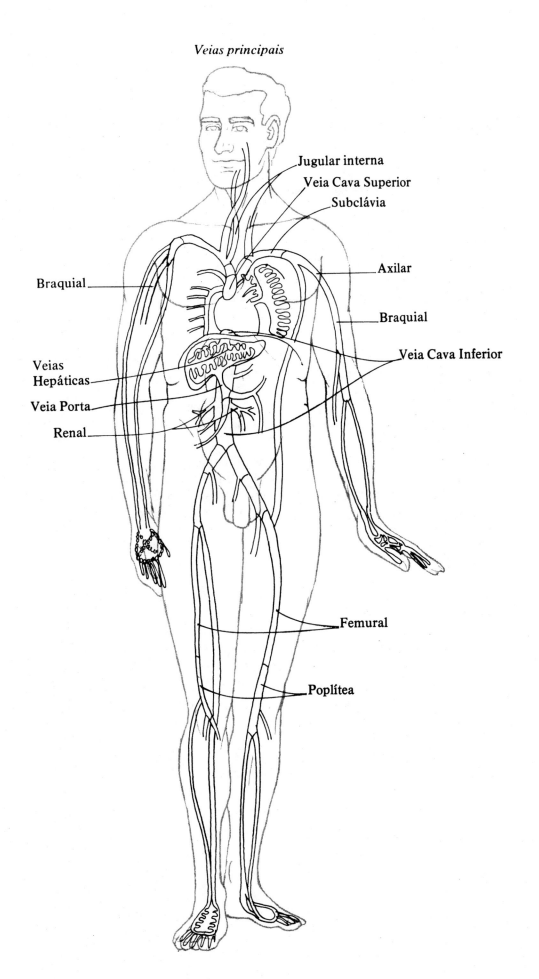

CORAÇÃO

Coronárias: Alimentam o músculo cardíaco, formando uma "coroa" em torno do coração. A "drenagem" é feita através das *veias cardíacas*.

Tronco pulmonar: Começo das *artérias pulmonares* direita e esquerda. Leva *sangue venoso* do coração aos pulmões, onde ocorrerá *hematose* (transformação de sangue venoso em arterial). As *veias pulmonares* levam *sangue arterial* dos pulmões ao coração.

Veias

As veias normalmente correm juntas com as artérias do mesmo nome. Assim, temos as veias *cubital*, *radial*, *braquial*, *fibulares*, *femural*, *ilíaca comum*, *renal* etc.

Veia cava: A *veia cava inferior* situa-se à direita da aorta e desemboca no coração. A *veia cava superior* recebe veias da cabeça e dos braços.

Veia jugular interna: Corre junto com a artéria carótida interna e a carótida comum. Drena o sangue venoso que vem do cérebro.

Veia porta: As ramificações da veia porta drenam o sangue rico em nutrientes do trato gastrintestinal para o fígado. O fígado altera, armazena e, de acordo com as necessidades, solta esses nutrientes. Através das veias hepáticas eles vão alcançar rapidamente o coração, e daí são distribuídos a todas as partes do corpo pela circulação sangüínea.

SISTEMA LINFÁTICO

Uma enorme parcela do corpo constitui-se de líquidos. Esses líquidos necessitam manter-se em circulação. Os vasos linfáticos "escoam" dentro das veias os líquidos do corpo que não se encontram dentro do sistema vascular, e que devem a ele eventualmente retornar a fim de alcançarem o coração. Os vasos linfáticos são auxiliares das veias na sua função de "drenagem".

O sistema linfático não possui um "coração" — depende da ação dos músculos vizinhos para realizarem sua função. Exercícios físicos e massagem auxiliam a manutenção do fluxo normal do sistema linfático.

Sistema Respiratório

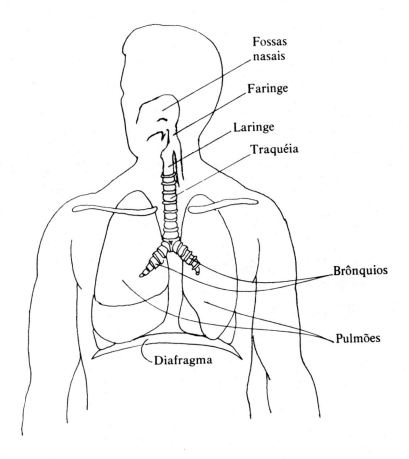

O aparelho respiratório compõe-se de:

1. *Vias respiratórias*:

   fossas nasais
   faringe
   laringe
   traquéia
   brônquios

2. *Pulmões*

O aparelho respiratório traz ar para dentro do corpo e o prepara de modo que o oxigênio nele contido possa ser absorvido pelo sangue. Ao mesmo tempo dióxido de carbono se desprende, ocorrendo assim uma troca. Essa troca (absorção de oxigênio — eliminação de dióxido de carbono) é chamada de *hematose*. O oxigênio absorvido vem alcançar e suprir todas as partes do corpo através da circulação sangüínea.

O aparelho respiratório também participa na articulação de sons na realização da fala.

Sistema Urinário

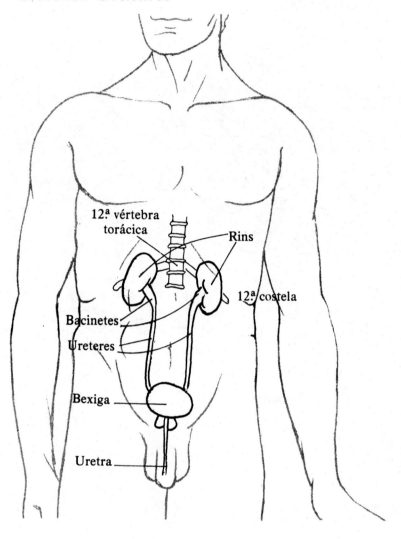

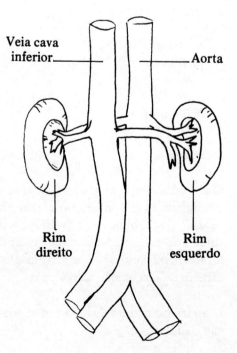

O aparelho urinário compõe-se de:

1. *Rins*

2. *Vias urinárias*:
   bacinetes
   ureteres
   bexiga
   uretra

Os rins "filtram" o sangue, removendo dele quantidades variáveis de água e substâncias orgânicas e inorgânicas, na medida em que o fluxo sangüíneo passa por eles. Dessa forma mantém o equilíbrio de composição e volume dos líquidos do corpo.

Os rins localizam-se na parte posterior da cavidade abdominal, um de cada lado da coluna, entre a borda superior da 12ª vértebra torácica e a 3ª lombar. O rim direito situa-se um pouco abaixo do esquerdo, devido ao grande espaço ocupado pelo fígado.

A urina contém resíduos desnecessários ao organismo dissolvidos em água. Após ser produzida pelos rins, fica acumulada na bexiga até o momento de ser eliminada.

Sistema Nervoso

Os músculos agem sobre o esqueleto e sobre as vísceras, produzindo os movimentos do corpo e operando seu funcionamento orgânico. O sistema nervoso comanda a ação dos músculos — através de impulsos enviados pelo sistema nervoso central. Logo controla os movimentos voluntários e a vida vegetativa.

Os impulsos provenientes do sistema nervoso central ocorrem em resposta a informações que ele mesmo recolhe, através dos receptores sensitivos — as sensações externas (colhidas através dos órgãos dos sentidos, responsáveis pelo nosso senso de localização no espaço) e internas.

Os *impulsos nervosos* são uma forma de energia eletroquímica. São gerados e conduzidos pelas células nervosas (neurônios). Os *neurônios* são a unidade funcional fundamental do sistema nervoso. Os *neurônios sensitivos* conduzem impulsos dos receptores do corpo para o sistema nervoso central. Esses receptores podem ser sensíveis ao calor, ao toque, à luz, ao paladar, à dor, à tensão muscular etc. Os *neurônios motores* levam impulsos do sistema nervoso central para o corpo, produzindo a ação física e os movimentos viscerais.

Os neurônios (sensitivos e motores) que conduzem impulsos entre a pele ou a musculatura que movimenta o esqueleto e o sistema nervoso central são chamados de *neurônios somáticos*. *Neurônios viscerais* são os que conduzem impulsos entre as vísceras e o sistema nervoso central, tenham eles funções sensitivas ou motoras.

O sistema nervoso divide-se em *sistema nervoso central* e *periférico*.

I. SISTEMA NERVOSO CENTRAL

Desenvolvimento embriológico do encéfalo (modificado de Kapit/Elson).

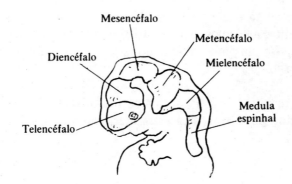

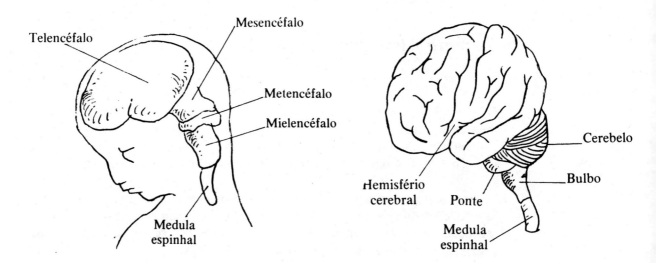

O sistema nervoso central constitui-se do encéfalo e da medula espinhal.

Encéfalo

A. *Divisão Embriológica*:

1) *telencéfalo* (hemisférios cerebrais ou cérebro)
2) *diencéfalo*
3) *mesencéfalo*
4) *metencéfalo* (cerebelo e ponte)
5) *Mielencéfalo* (medula oblonga ou bulbo)

1) Telencéfalo

A camada superficial (córtex) do cérebro é a sua área mais desenvolvida. Partes do córtex cerebral recebem os nomes dos ossos cranianos com os quais se relacionam. Assim temos os lobos frontal, temporal, parietal, occipital. Cada lobo é responsável por determinadas funções. O lobo frontal ocupa-se primariamente de funções motoras (postura; movimentos voluntários) e intelectuais (pensamento abstrato e racional; fala). O lobo parietal ocupa-se, entre outras, de funções sensoriais, reconhecendo sensações físicas como a dor, a temperatura, toque, paladar. O lobo temporal relaciona-se ao comportamento emocional, ao olfato, audição, linguagem, etc. O lobo occipital é ligado à visão.

2) *Diencéfalo*

O diencéfalo se encontra incrustado por baixo e para dentro dos hemisférios cerebrais. Se ocupa basicamente de funções sensoriais e autônomas, como controle da temperatura do corpo, sensação de apetite, ligação entre reflexos viscerais e reações emocionais, etc. Faz parte do diencéfalo a glândula pineal (epitálamo) (ver p. 98).

3) *Mesencéfalo*

Também incrustado na parte inferior do cérebro, por baixo do diencéfalo. Ocupa-se de reflexos provocados por estímulos visuais e auditivos inesperados; conduz impulsos motores do cérebro para o bulbo e a medula espinhal; etc.

4) *Metencéfalo*

Composto pela *ponte* e pelo *cerebelo*. A ponte, entre outras coisas, é responsável pela nossa capacidade de permanecermos alertas e atentos. O cerebelo é responsável por nosso senso de equilíbrio. Controla e coordena a atividade muscular em geral (incluindo a manutenção do tono muscular).

5) *Mielencéfalo*

O mielencéfalo origina a *medula oblonga* (alongada), ou *bulbo*, que se ocupa de importantes reflexos orgânicos, como os ritmos cardíacos e respiratórios.

B. *Divisão Anatômica*

Anatomicamente podemos dividir o encéfalo em:

1) *cérebro*
2) *tronco encefálico*
3) *cerebelo*

O tronco encefálico constitui-se de todo o encéfalo, menos os hemisférios cerebrais e o cerebelo — ou seja, o diencéfalo, o mesencéfalo, a ponte e o bulbo. Como o diencéfalo se encontra recoberto pelos hemisférios cerebrais, alguns autores o consideram parte do cérebro, e não do tronco encefálico.

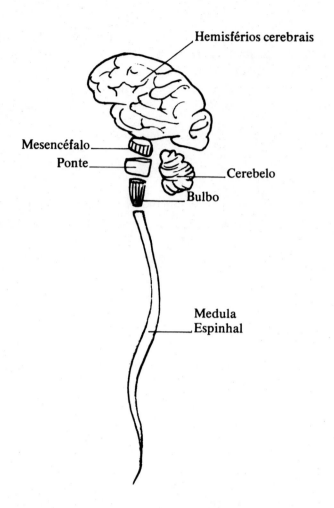

Medula espinhal

A medula espinhal é uma continuação do encéfalo, que se estende pelo canal existente no interior da coluna vertebral (canal formado pelos forames vertebrais) até o nível da 2ª vértebra lombar. Transmite impulsos do corpo para o encéfalo, e vice-versa.

II. SISTEMA NERVOSO PERIFÉRICO

Formado por feixes de nervos (filamentos de tecido que conduzem os impulsos nervosos) que se irradiam do encéfalo e medula espinhal alcançando todas as partes do corpo. Através desse sistema transitam informações sensoriais do corpo para o sistema nervoso central, e as respostas motoras do sistema nervoso central para os músculos do corpo. O sistema nervoso periférico apresenta dois tipos de nervos, os *cranianos* e os *espinhais*.

Nervos cranianos

São os nervos que se projetam da base do encéfalo. Inervam primariamente a cabeça e o pescoço. Entre outros temos os nervos olfatórios, o nervo ótico, o

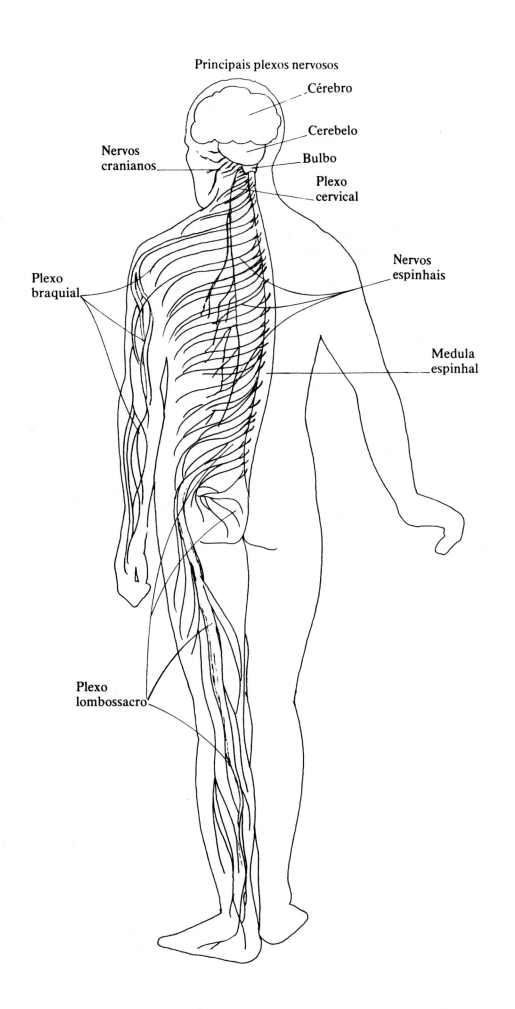

nervo facial (inerva a musculatura mímica), o nervo auditivo, o nervo trigêmeo, o nervo vago (que inerva também órgãos do tórax e abdômen), etc.

Nervos espinhais

São os nervos que emergem bilateralmente da medula espinhal através dos forames intervertebrais. Cada nervo possui duas raízes (uma ventral e uma dorsal) — ou seja, se bifurca conectando-se com a medula espinhal em dois pontos. A *raiz ventral* possui fibras motoras, e a *raiz dorsal* fibras sensitivas. O nervo espinhal então é sempre misto — possui fibras motoras e sensitivas.

Após deixar a medula espinhal, cada nervo se divide e ramifica. Esses ramos vão inervar músculos e pele. Os ramos que inervam os músculos do esqueleto vão supri-los com fibras motoras (para a ação muscular), fibras motoras autônomas (para a musculatura lisa das artérias musculares) e fibras sensitivas (para os receptores dos músculos e tendões). Os ramos que inervam a pele a suprem com fibras sensitivas e fibras motoras autônomas (para as artérias cutâneas e glândulas sudoríparas).

Os nervos espinhais formam "redes", ou *plexos nervosos* que inervam áreas específicas do corpo.

Principais plexos nervosos

PLEXO CERVICAL	Inerva pele e músculos do pescoço.
PLEXO BRAQUIAL	Inerva braços e ombros.
PLEXO LOMBOSSACRO	Compõe-se dos plexos lombar e sacro. Inerva pernas, nádegas, região inferior do abdômen e genitais. Faz parte do plexo sacro o nervo ciático (ou isquiático), cujas ramificações (nervos tibial e fibular comum) chegam até os dedos e solas dos pés.

SISTEMA NERVOSO AUTÔNOMO

O sistema nervoso autônomo é parte do sistema nervoso periférico. Inerva os músculos cardíacos e os músculos lisos e glândulas dos órgãos internos, controlando o funcionamento involuntário do coração, estômago, intestinos, órgãos reprodutivos, etc. Controla assim as funções da vida vegetativa (como a circulação sangüínea, a digestão, a respiração). É um sistema motor, e não sensorial. Os neurônios motores autônomos das vísceras são diferentes dos neurônios motores somáticos (voluntários), e vão caracterizar o sistema nervoso autônomo. Já os neurônios sensoriais viscerais são iguais aos somáticos — portanto, não são considerados parte do sistema autônomo.

O sistema nervoso autônomo se divide nos sistemas *simpático* e *parassimpático*. O sistema simpático é estimulante, e o parassimpático é regulador.

Sistema Nervoso Simpático

O sistema nervoso simpático reage a situações inesperadas ou de perigo de vida, ou em manifestações emocionais — um barulho súbito, uma briga ou discussão, um quase acidente de carro, etc. É ativado pela adrenalina. Quando o sistema simpático entra em ação o coração bate mais rápido ou dispara, a pressão sangüínea sobe, a traquéia se dilata e o ritmo da respiração aumenta, a pupila se dilata, começamos a suar, o sangue flui para os músculos voluntários do esqueleto, os sistemas digestivo e sexual são desativados — enfim, são tomadas medidas para enfrentar uma situação de emergência. Prepara a pessoa para "lutar ou fugir" — *to fight or to flight*. Essas reações ocorrem com maior ou menor intensidade, dependendo do caso específico.

Os nervos do sistema simpático se irradiam da medula espinhal (do nível da 1ª vértebra torácica à 2ª lombar). Tão logo deixam a coluna vertebral, separam-se dos nervos espinhais e vão formar uma cadeia de gânglios (agrupamento de células nervosas fora do SNC) situada ao longo da coluna. Essa cadeia de gânglios se chama *tronco simpático*, e se estende bilateralmente do nível da 1ª vértebra cervical até o cóccix.

O sistema nervoso autônomo é associado aos diversos órgãos do corpo. Os pontos Associados (ver p. 154), que também se relacionam aos órgãos, situam-se sobre o tronco simpático — existindo, pois, uma relação entre eles e o sistema nervoso que parece justificar anatomicamente a mecânica de funcionamento desses pontos.

Sistema Nervoso Parassimpático

O sistema parassimpático tem efeito calmante sobre o organismo. Reduz o ritmo cardíaco e a freqüência respiratória, estimula a digestão (e a absorção de nutrientes) e a função sexual. A musculatura voluntária relaxa, o fluxo sangüíneo é orientado para os tecidos superficiais da pele e para os órgãos digestivos (após uma lauta refeição, o parassimpático entra em ação). Logo, o parassimpático regula o funcionamento da vida vegetativa, num efeito quase antagônico ao sistema simpático. Na verdade, os dois sistemas inter-relacionam-se de forma complexa, às vezes complementar. Por exemplo, o sistema parassimpático é responsável pela ereção do órgão masculino (atua na vasodilatação dos órgãos genitais), e o simpático pela ejaculação (atua na vasoconstrição). Quando fazemos um relaxamento profundo, ou meditamos, ativamos o parassimpático. Na principal prática espiritual do tantra yoga, onde a energia sexual é diretamente utilizada nas meditações, o homem se relaciona sexualmente com a mulher sem ejacular.

Em seu livro *A Função do Orgasmo*,* Reich menciona que quando sentimos dor ou ansiedade ativa-se o sistema simpático — e o organismo se contrai. Por

---

(*) Ob. cit., p. 245.

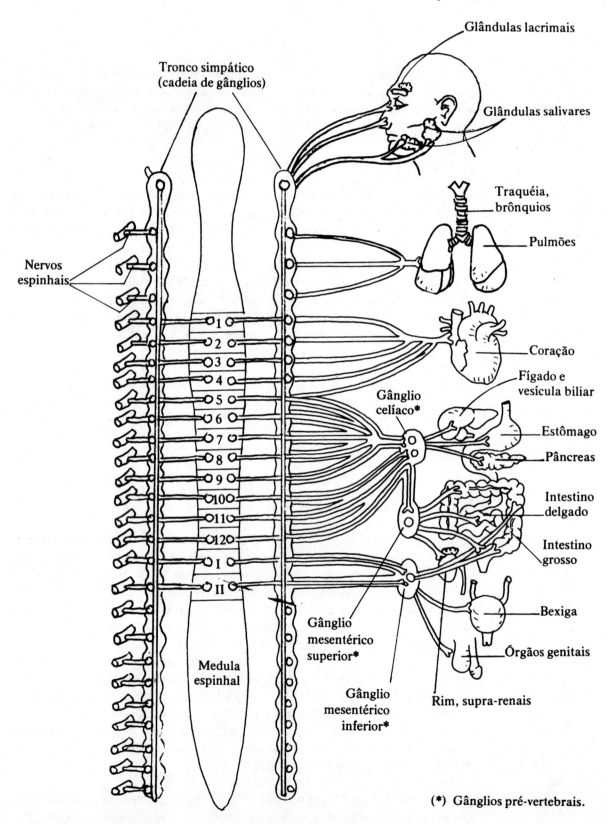

Esquema do Sistema Nervoso Simpático (modificado de Kapit/Elson)

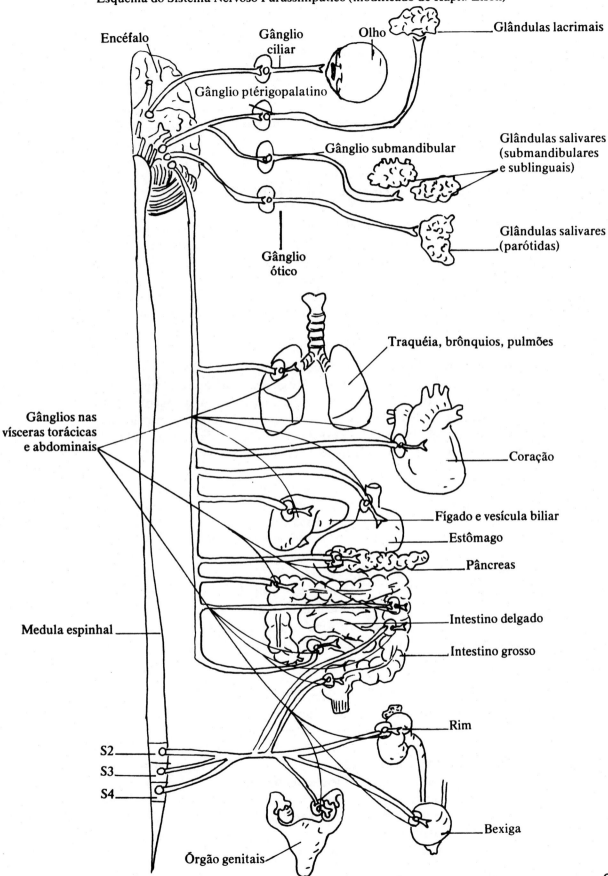

Esquema do Sistema Nervoso Parassimpático (modificado de Kapit/Elson)

outro lado, quando sentimos prazer o parassimpático é acionado, ocorrendo uma "expansão" — o corpo se "abre", se torna mais receptivo. Ainda comparando os dois sistemas, podemos relacionar os exercícios de alongamento muscular ao parassimpático, e os de força ao simpático.

As raízes nervosas do parassimpático originam-se no tronco encefálico e na medula espinhal (ao nível do sacro). Seus gânglios não formam uma cadeia (como o sistema simpático) — se localizam nas próprias vísceras que eles inervam.

O Shiatsu e as Reações Simpáticas e Parassimpáticas

Quando levamos um susto e nos sobressaltamos, o sistema simpático reage imediatamente — o coração dispara, a pressão sangüínea aumenta, etc. Passado o susto, o sistema parassimpático entra em ação, trazendo o corpo de volta à normalidade. Se vivemos uma emoção forte e o sistema simpático é ativado violentamente, quando o parassimpático entra em ação nos faz sentir exauridos e até mesmo sonolentos — todos sabemos como as emoções fortes cansam!

No shiatsu, quando aplicamos pressões enérgicas e súbitas, ativamos o sistema simpático — o corpo do paciente reage e se contrai, seu ritmo cardíaco se acelera, etc. A ativação do sistema simpático (do ritmo cardíaco) é — inclusive — o propósito de alguns estilos estimulantes de massagem ocidental — que por isso não são indicados a pessoas debilitadas fisicamente, já que consumiria suas poucas reservas de energia.

Para equilibrarmos e tonificarmos o organismo precisamos acionar o sistema parassimpático. Quando o parassimpático é ativado, a musculatura se torna macia, o corpo "aberto", receptivo. Essa é a função da mão "mãe" no zen shiatsu — ela mantém o paciente relaxado, evitando que as pressões de nossa mão "livre" provoquem reações do sistema simpático. Além disso, se tocamos com nossa mão "livre" um ponto ou área sensível e o paciente sente dor, seu corpo se contrai, se "fecha" para a sensação de dor. Essa contração é uma reação involuntária relacionada ao sistema simpático, que percebemos com facilidade na palma de nossa mão "mãe". Podemos então ajustar a pressão de nossas mãos de forma que o sistema simpático seja desativado e o parassimpático acionado.

Essa reação de contração do sistema simpático é típica dos pontos kyo profundos e sensíveis. O ponto kyo é um "ponto fraco". Da mesma forma que quando falamos dos defeitos e fraquezas psicológicas de uma pessoa sua reação normal é se defender e se fechar para a crítica, quando tocamos um ponto kyo a reação automática do corpo é de se "fechar" para defender o ponto "atacado". Essa contração, esse "fechamento" (uma reação do sistema nervoso simpático) não deve ser confundido com áreas rígidas jitsu. A tensão provocada pelo sistema nervoso para "proteger" o ponto kyo é momentânea — assim que o paciente relaxe (ou o estímulo cesse) ela se dissolve, a defesa do corpo se desfaz e nossa mão "afunda" no ponto.

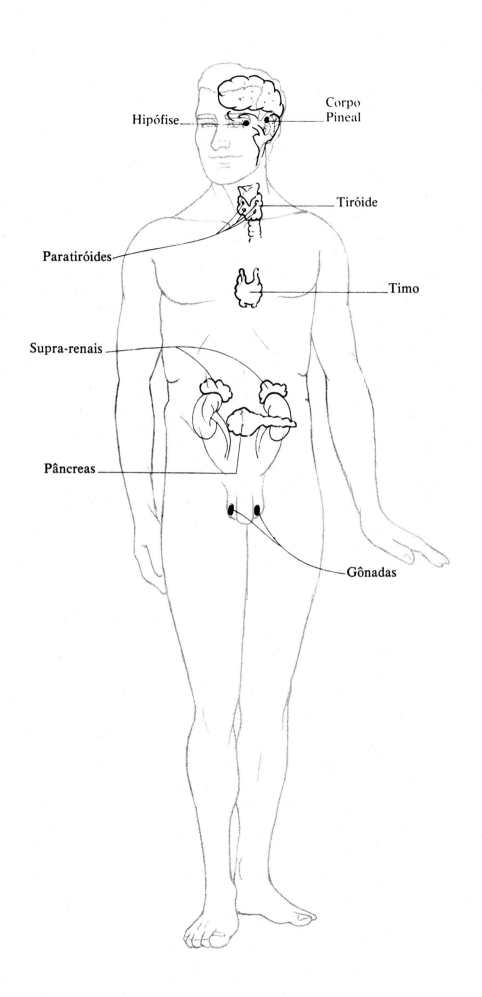

Sistema endócrino

Glândulas são grupos de células que separam certas substâncias do sangue e delas produzem novas substâncias — as secreções. Temos dois tipos de glândulas:

I. As glândulas *endócrinas* (sem ductos), ou de *secreção interna*.

II. As glândulas de *secreção externa*, que secretam através de ductos (canais).

As glândulas de secreção externa secretam numa cavidade ou superfície do corpo — como as glândulas sudoríparas (eliminação de toxinas e resfriamento do corpo), salivares (auxiliam na digestão), lacrimais (umedecimento da córnea e conjuntiva), etc.

As glândulas endócrinas secretam seus produtos diretamente no sangue ou na linfa. Os produtos das glândulas endócrinas são os *hormônios*. Hormônios são agentes químicos que influem no funcionamento dos órgãos. São secretados em quantidades diminutas, mas seus efeitos são importantíssimos. Têm papel fundamental na manutenção do equilíbrio químico orgânico, já que atuam no *metabolismo*. Metabolismo é o conjunto de reações químicas através das quais o organismo assimila as substâncias necessárias à vida e elimina as desnecessárias. O pâncreas, por exemplo, atua no metabolismo do açúcar, as paratiróides atuam no do cálcio, etc. As glândulas endócrinas são fundamentais para o crescimento e para as funções de reprodução.

Existem divergências sobre a classificação das glândulas endócrinas, mas tradicionalmente são:

Hipófise ou pituitária

Situada na base do cérebro, a hipófise tem funções múltiplas. Seus hormônios estimulam as outras glândulas a secretar seus produtos — como as supra-renais, a tiróide, as gônadas. Atua também no sistema de reprodução e crescimento.

Corpo Pineal

O corpo pineal é parte do diencéfalo. Suas funções são, aparentemente, reguladoras de outras glândulas endócrinas e de certas atividades metabólicas.

Tiróide

Situa-se em frente à traquéia, na parte baixa do pescoço. Produz o hormônio tiroxina, de efeito estimulante sobre o metabolismo. A tiroxina facilita e aumenta o consumo de oxigênio pelos tecidos do organismo. Também atua no crescimento, no desenvolvimento, na atividade nervosa e no metabolismo de carboidratos e gorduras.

Paratiróides

São quatro pequenos "botões" situados ao lado da tiróide. Secretam o paratormônio, que regula o nível de cálcio no sangue, com efeitos sobre os sistemas muscular e circulatório.

Timo

Situa-se na parte superior do tórax, acima e na frente do coração. Atua nos sistemas linfático e imunológico. Sua atividade diminui muito após a puberdade, sendo sua substância eventualmente substituída por tecidos fibrosos.

Supra-renais

Secretam a adrenalina, que afeta o organismo de modo a produzir energia para consumo imediato, elevando os ritmos cardíaco e respiratório, etc. Secretam também hormônios essenciais ao metabolismo e hormônios sexuais. As supra-renais localizam-se sobre os rins.

Gônadas

São as glândulas genitais — testículos e ovários. Produzem as células germinativas masculinas (espermatozóides) e femininas (óvulos). Seus hormônios controlam as características sexuais (crescimento dos cabelos, desenvolvimento dos seios, etc.). Os hormônios masculinos e femininos estão presentes em ambos os sexos, porém em proporções diferentes.

Pâncreas

O pâncreas é uma glândula mista, que secreta interna e externamente. Sua secreção externa é o suco pancreático que, lançado no duodeno, atua na digestão. Sua secreção interna é a insulina, que atua na absorção do açúcar pelas células do corpo. Na ausência de insulina, o açúcar do sangue não é adequadamente consumido pelas células, se acumulando de maneira irregular. Esse acúmulo de açúcar no sangue caracteriza a diabete.

O SHIATSU E OS SISTEMAS NERVOSO E GLANDULAR ENDÓCRINO

O shiatsu lida essencialmente com energia — os meridianos são o fluxo dessa energia. O sistema nervoso também opera energeticamente. Possui uma estrutura anatômica (o encéfalo, a medula espinhal, os nervos), mas seu funcionamento ocorre pela transmissão de energia eletroquímica (os impulsos nervosos) através dessa estrutura. No impulso nervoso íons (átomos carregados eletricamente) se propagam através dos tecidos nervosos. As glândulas endócrinas atuam em sintonia com o sistema nervoso. Agem sobre todas as funções do corpo, atingindo órgãos distantes e muitas vezes aparentemente sem qualquer relação com a glândula em questão — lembrando a ação dos meridianos e pontos, que também afetam órgãos e funções muitas vezes distantes e com os quais não parecem ter qualquer relação.

O shiatsu age sobre o sistema nervoso e glandular, harmonizando seu funcionamento. Age também *através* desses sistemas — pressão em certos tsubos provocam reações no sistema nervoso e nas glândulas endócrinas. Essas reações afetam os órgãos e suas funções de uma forma positiva, contribuindo para o equilíbrio orgânico.

Principais relações entre tsubos e os sistemas nervoso e glandular endócrino

Pontos Associados: Relacionados ao sistema nervoso autônomo, os pontos Associados refletem irregularidades e equilibram o funcionamento dos órgãos internos do corpo.

ID 11: É área da escápula em geral — atua sobre o plexo nervoso braquial.

Área T 11/T 12 das costas: A área reflexa do meridiano do Rim nas costas (ao nível da 11ª e 12ª vértebras torácicas — ver p. 156) atua sobre as glândulas supra-renais.

Pontos nas nádegas e região sacro-lombar: Tsubos das nádegas (como o Ten Shi e VB 30), região lombar e sacro agem sobre o plexo lombossacro, que inerva órgãos genitais, pernas, nádegas e abdômen.

VG 16: Atua sobre o bulbo (parte de contato do encéfalo com a medula espinhal), com reflexos sobre o sistema nervoso e atividades orgânicas.

Cabeça e face: Pressão sobre os tsubos da face e cabeça estimula suavemente extremidades de nervos cranianos e o encéfalo. Pressão delicada sobre os olhos age sobre o trigêmeo e outros nervos cranianos.

Pontos do pescoço: Shiatsu no pescoço é feito com pressões suaves. Nas faces laterais do pescoço atua sobre a tiróide, as paratiróides e o nervo vago (nervo craniano que inerva órgãos auditivos, do pescoço, torácicos (coração, pulmões) e abdominais). Shiatsu na nuca age sobre o plexo cervical.

IV. Como aplicar o zen shiatsu — uma seqüência básica

A seqüência que apresentamos a seguir não é a única forma de aplicarmos zen shiatsu — mas é uma seqüência típica e completa (trabalha todo o sistema energético).

LOCAL PARA A PRÁTICA

De preferência um aposento suficientemente amplo, limpo e arejado. A superfície de trabalho deve ser plana e firme, porém acolchoada — para não machucar as articulações ósseas. O chão, adequadamente forrado, é o ideal. Simplesmente deitarmos em uma superfície firme já é terapêutico — as tensões do corpo cedem. Já quando deitamos sobre uma superfície mole, é a superfície que cede — e não as tensões.

A iluminação do ambiente deve ser moderada — nem muito forte nem muito fraca — e não deve incidir diretamente sobre a face do paciente.

HORÁRIO

Podemos aplicar shiatsu em qualquer horário, mas devemos evitar fazê-lo quando estamos cansados, ou com pouca energia. A parte da manhã e o final da tarde são os meus horários preferidos.

ROUPAS

A idéia de que a pessoa deva estar seminua para receber uma aplicação de shiatsu não é correta. Ela pode estar vestida com roupas bem leves e confortáveis, de material natural. A maioria das malhas de dança e ginástica não são adequadas — são justas e feitas com fibras sintéticas. Uma camiseta de algodão folgada — com um *short*, cueca ou calcinha que não apertem (especialmente na cintura), são roupas apropriadas.

O praticante deve usar roupas largas e confortáveis, que não apertem na cintura ou em qualquer outra parte do corpo, e que não tolham seus movimentos de nenhuma forma.

POSIÇÕES DO PACIENTE

No zen shiatsu trabalhamos com o paciente em 4 posições básicas: sentado, deitado de barriga para baixo (decúbito ventral), de barriga para cima (decúbito dorsal) e de lado (decúbito lateral). Não precisamos pedir ao paciente para mudar sua posição — nós mesmos o "rolamos" para a posição desejada. Os diagramas mostram as técnicas utilizadas para executarmos essas transições.

Iniciamos a seqüência por trás do paciente sentado. Dessa forma reduzimos a possibilidade de contato visual, ajudando o paciente a se concentrar no contato tátil.

Paciente sentado

O *stress* e preocupações do dia-a-dia freqüentemente se acumulam nos ombros e nuca, que se tornam rígidos e tensos. A posição sentada é excelente para trabalharmos nuca, ombros e escápula. A rotação (ampla e suave) e alongamentos dos braços e pescoço (junto com um cuidadoso trabalho de tonificação das áreas kyo) é mais eficaz na eliminação dessas tensões nos ombros e nuca do que pressões fortes executadas diretamente sobre as áreas duras e tensas.

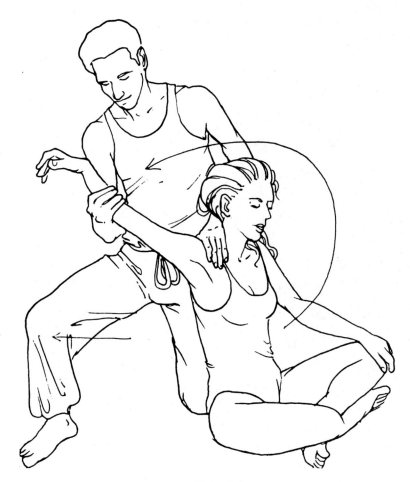

Rotação

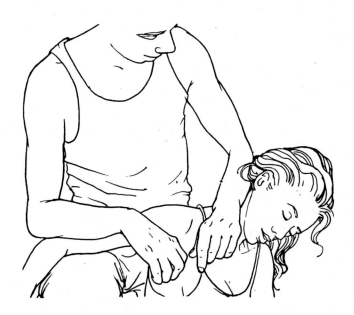

Alongamento

O segredo para trabalharmos com o paciente sentado é fornecer-lhe *continuamente* um apoio firme (apoiando-se contra nossa perna e/ou segurando-o pelo ombro). Mantenha o paciente ligeiramente inclinado para frente, nunca para trás. Lembre-se, o paciente não se sentirá confortável, nem relaxará, se tiver que se preocupar com seu próprio apoio.

Deitado de barriga para baixo

Deitando o paciente de barriga para baixo.

Nessa posição vamos trabalhar costas, nádegas, parte posterior das pernas e pés.

O meridiano mais atingido é o da Bexiga, que se estende por toda a parte posterior do corpo. Nas costas é trabalhado com o calcanhar da mão, no sacro com os polegares e nas coxas e pernas com o joelho (ver págs. 107 e seguintes).

Deitado de barriga para cima

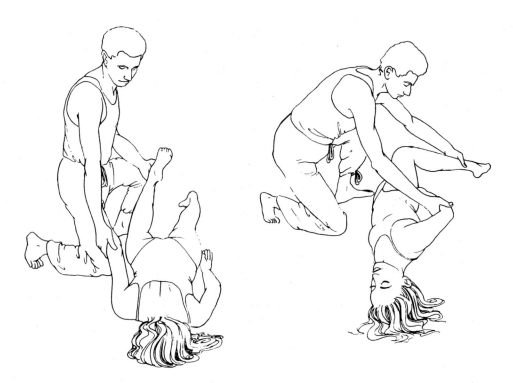

Virando o paciente de barriga para cima.

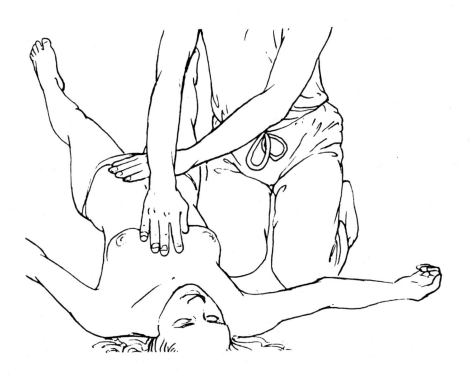

Observe que em cada uma das quatro posições básicas do paciente, iniciamos o contato com um toque suave para sentirmos sua energia. Com o paciente deitado de barriga para cima, tocamos (sem pressionar, só com o peso da mão relaxada) simultaneamente o tanden (baixo-ventre — centro da energia vital/sexual) e o centro do tórax (energia emocional). Note como o toque é feito com os braços cruzados — mão esquerda no tanden e direita no tórax. Conectamos assim esses dois importantes centros energéticos, e, ao mesmo tempo, podemos avaliar suas condições (sentir a qualidade da energia).

Nessa posição trabalhamos hara e pernas, tórax, braços, cabeça e face — onde terminamos nossa seqüência. Podemos também, como arremate, tocar o tanden e a fronte (o ponto no centro da testa é, para os budistas, a "sede do espírito" — centro psíquico da energia espiritual), e, após alguns momentos, afastarmos lentamente nossas mãos.

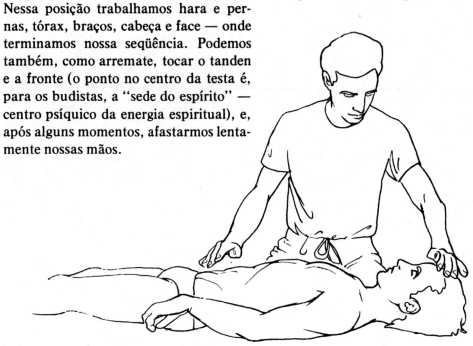

Deitado de lado

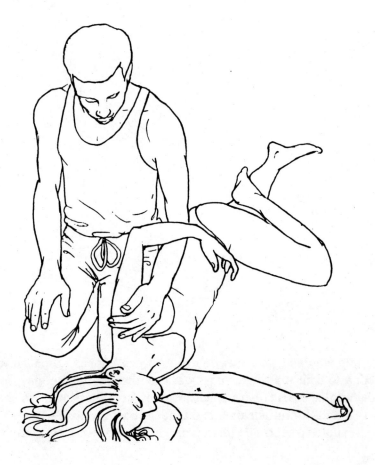

Essa posição é opcional, complementar. Pode ser inserida no meio da seqüência normal (paciente sentado — barriga para baixo — barriga para cima), ou substituir parcial ou totalmente as posições sentada e de barriga para baixo. Quando é inserida na seqüência completa, utilizamos a seguinte ordem: paciente sentado, de lado, o outro lado, de barriga para baixo e, finalmente, de costas.

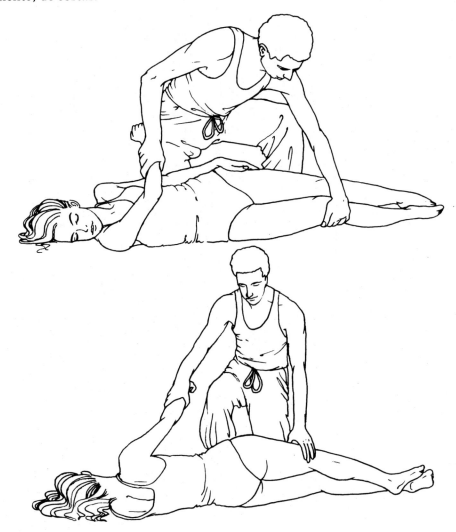

Mudando o paciente de lado.

A posição de lado é boa para trabalharmos nuca, ombros, o meridiano da Vesícula Biliar (que situa-se nas partes laterais do tronco e pernas) e o Ten Shi (no lado das nádegas) — e ainda o meridiano da Bexiga nas costas e no sacro. É uma posição fundamental para tratarmos mulheres grávidas, pessoas frágeis, pouco flexíveis ou que, por qualquer outro motivo, não consigam permanecer sentadas no chão ou deitadas de barriga para baixo confortavelmente.

Quando não trabalhamos com o paciente sentado, utilizamos o decúbito lateral logo de início, seguindo-se então o resto da seqüência — barriga para baixo, barriga para cima. Quando não utilizarmos o decúbito ventral, começamos com a pessoa sentada, depois a deitamos de lado, fazemos o outro lado, e terminamos com ela deitada de costas.

A seqüência:
1. Posição sentada

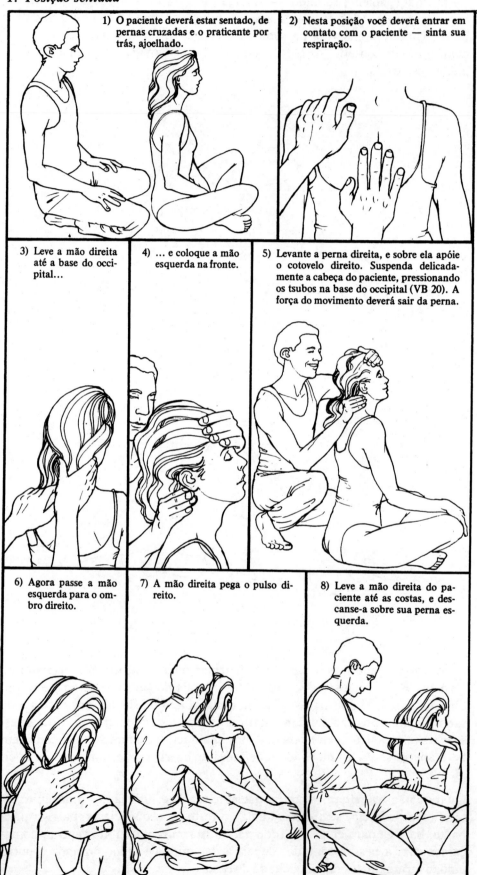

1) O paciente deverá estar sentado, de pernas cruzadas e o praticante por trás, ajoelhado.

2) Nesta posição você deverá entrar em contato com o paciente — sinta sua respiração.

3) Leve a mão direita até a base do occipital...

4) ... e coloque a mão esquerda na fronte.

5) Levante a perna direita, e sobre ela apóie o cotovelo direito. Suspenda delicadamente a cabeça do paciente, pressionando os tsubos na base do occipital (VB 20). A força do movimento deverá sair da perna.

6) Agora passe a mão esquerda para o ombro direito.

7) A mão direita pega o pulso direito.

8) Leve a mão direita do paciente até as costas, e descanse-a sobre sua perna esquerda.

106

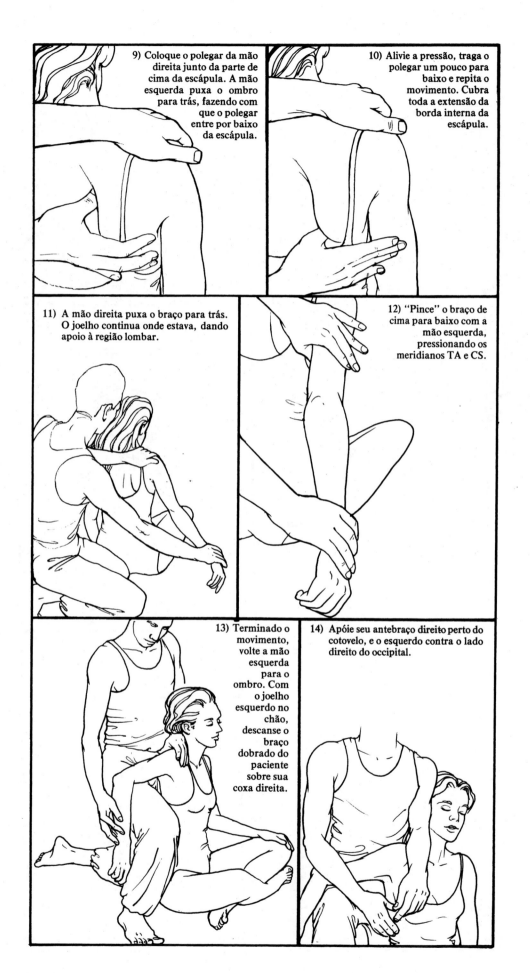

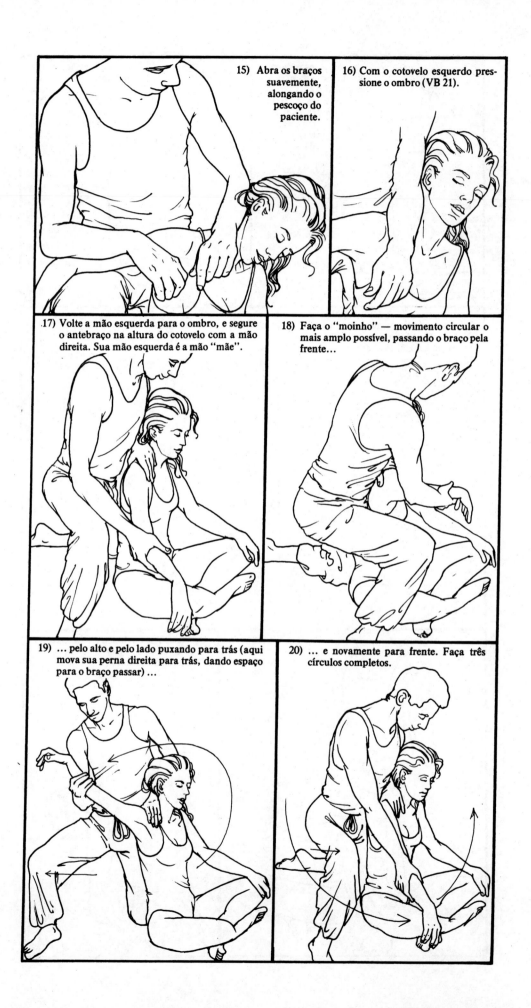

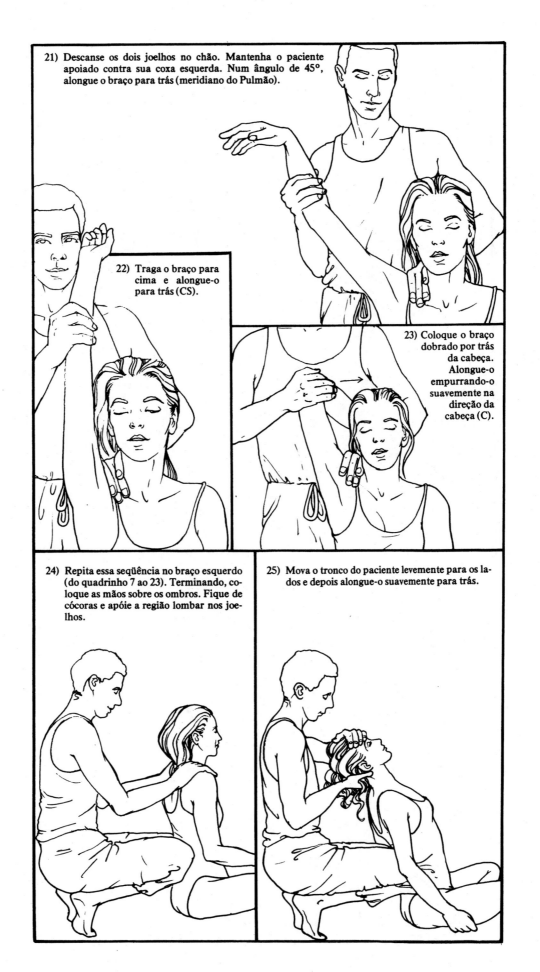

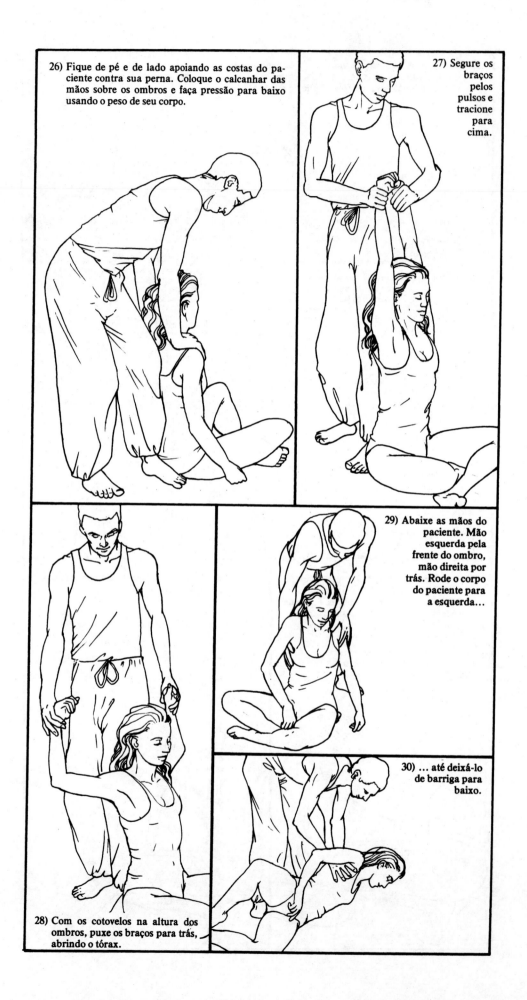

2. Posição de barriga para baixo

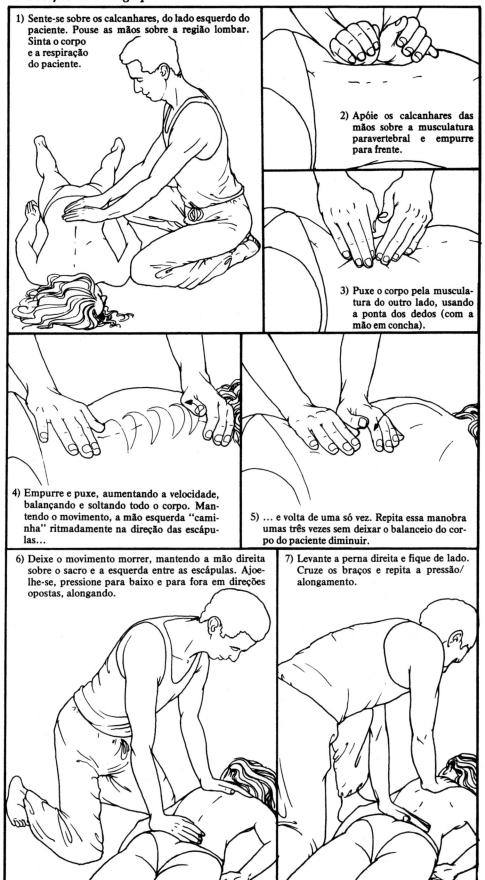

1) Sente-se sobre os calcanhares, do lado esquerdo do paciente. Pouse as mãos sobre a região lombar. Sinta o corpo e a respiração do paciente.

2) Apóie os calcanhares das mãos sobre a musculatura paravertebral e empurre para frente.

3) Puxe o corpo pela musculatura do outro lado, usando a ponta dos dedos (com a mão em concha).

4) Empurre e puxe, aumentando a velocidade, balançando e soltando todo o corpo. Mantendo o movimento, a mão esquerda "caminha" ritmadamente na direção das escápulas...

5) ... e volta de uma só vez. Repita essa manobra umas três vezes sem deixar o balanceio do corpo do paciente diminuir.

6) Deixe o movimento morrer, mantendo a mão direita sobre o sacro e a esquerda entre as escápulas. Ajoelhe-se, pressione para baixo e para fora em direções opostas, alongando.

7) Levante a perna direita e fique de lado. Cruze os braços e repita a pressão/alongamento.

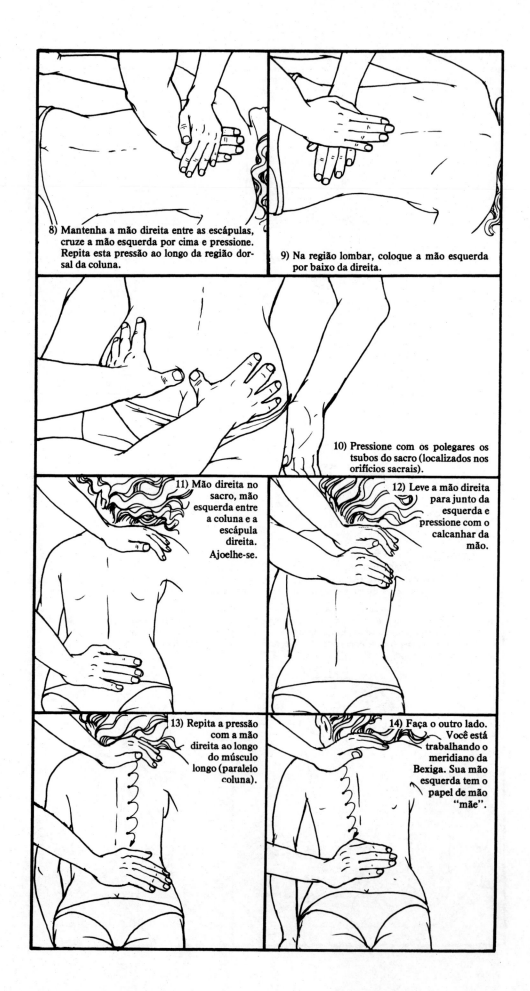

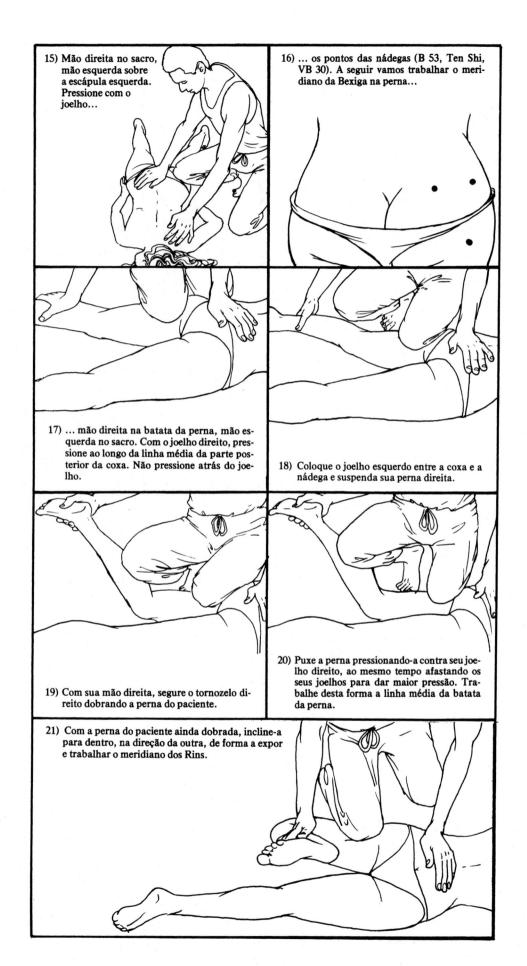

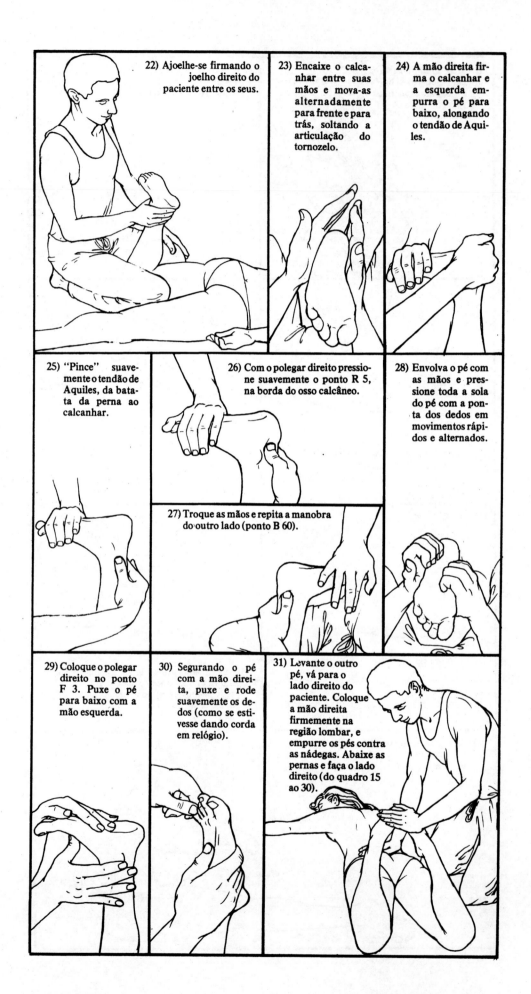

3. Posição de barriga para cima

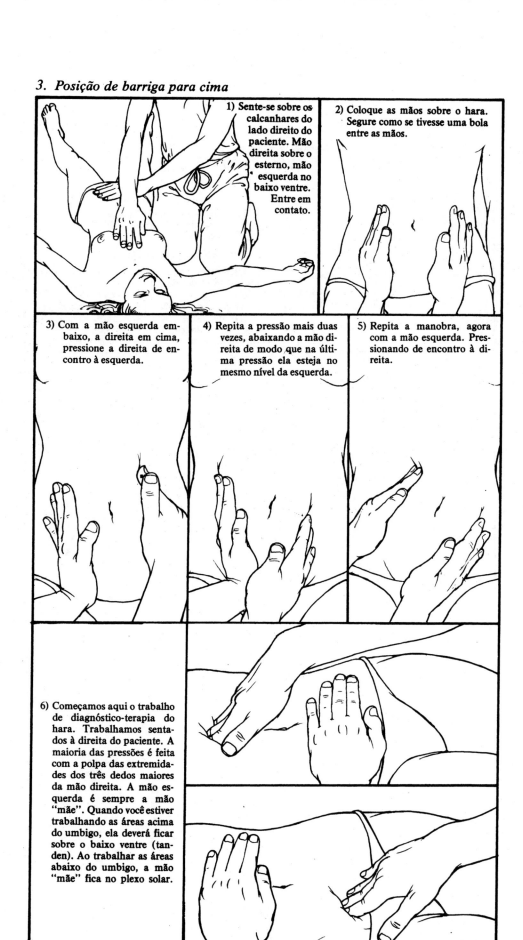

1) Sente-se sobre os calcanhares do lado direito do paciente. Mão direita sobre o esterno, mão esquerda no baixo ventre. Entre em contato.

2) Coloque as mãos sobre o hara. Segure como se tivesse uma bola entre as mãos.

3) Com a mão esquerda embaixo, a direita em cima, pressione a direita de encontro à esquerda.

4) Repita a pressão mais duas vezes, abaixando a mão direita de modo que na última pressão ela esteja no mesmo nível da esquerda.

5) Repita a manobra, agora com a mão esquerda. Pressionando de encontro à direita.

6) Começamos aqui o trabalho de diagnóstico-terapia do hara. Trabalhamos sentados à direita do paciente. A maioria das pressões é feita com a polpa das extremidades dos três dedos maiores da mão direita. A mão esquerda é sempre a mão "mãe". Quando você estiver trabalhando as áreas acima do umbigo, ela deverá ficar sobre o baixo ventre (tanden). Ao trabalhar as áreas abaixo do umbigo, a mão "mãe" fica no plexo solar.

115

Inicie o trabalho com a mão "mãe" no baixo ventre. A mão direita deverá exercer uma pressão suave, mas penetrante, de 3 a 4 segundos em cada área. Se o local pressionado estiver sensível ou tenso mantenha a pressão por mais tempo.

Mão "mãe" no tanden, mão direita faz:

1) Pressão oblíqua na área do meridiano do Coração (como se quisesse penetrar embaixo do esterno). Ver pág. 147.
2) Pressão perpendicular diretamente sobre a área do Estômago.
3) Pressão oblíqua (penetrando por baixo da costela) na área do Triplo Aquecedor.
4) Pressão idêntica, na área do Pulmão (quase na ponta da costela).

Mão "mãe" no plexo solar, mão direita faz:

5) Pressão perpendicular (e com a mão em sentido vertical) na área do Rim, à direita do umbigo.
6) Pressão perpendicular na área do Intestino Delgado.
7) Pressão lateral, de fora para dentro, contra o lado do cólon (Int. Grosso).
8) Pressão perpendicular na área dos Rins abaixo do umbigo.
9) Pressão idêntica na área da Bexiga.
10) Pressão idêntica à 7 (no sentido inverso) — Int. Grosso.
11) Pressão idêntica à 6 — Int. Delgado.
12) Pressão idêntica à 5 — Rins.
13) Pressão perpendicular, com a mão mais deitada, sobre o umbigo — área do Baço-Pâncreas.

Mão "mãe" no tanden, mão direita faz:

14) Pressão oblíqua, penetrando por baixo da costela — área do Pulmão.
15) Pressão idêntica, na área do Fígado.
16) Pressão idêntica, na área da Vesícula Biliar.
17) Pressão perpendicular, com a mão ligeiramente deitada, na área da Circulação-Sexo.
18) Para terminar, faça algumas pressões, com as palmas das mãos, em volta do hara, no sentido horário.

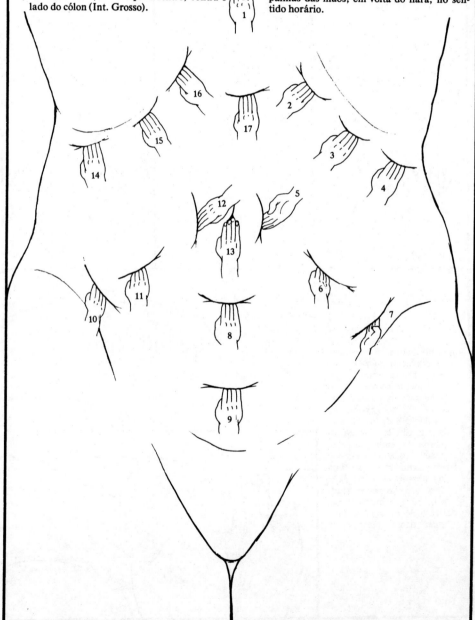

116

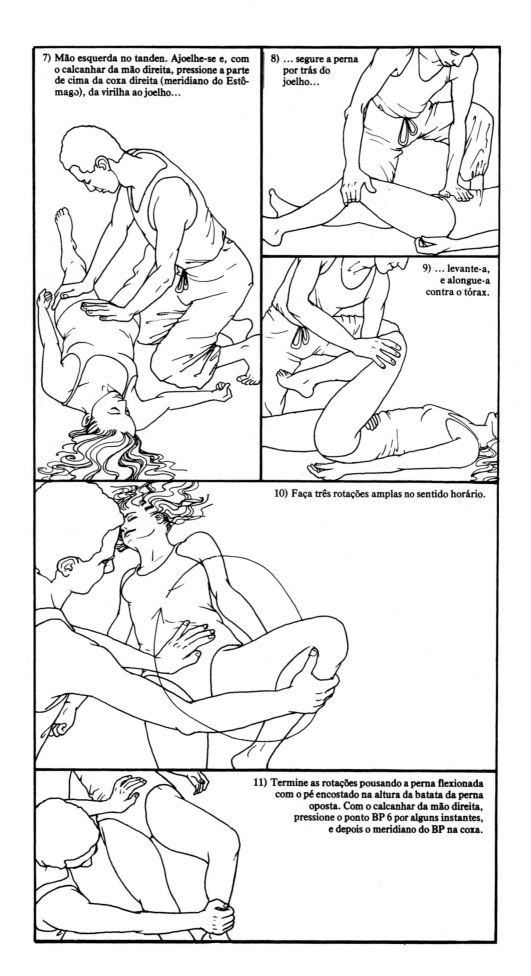

117

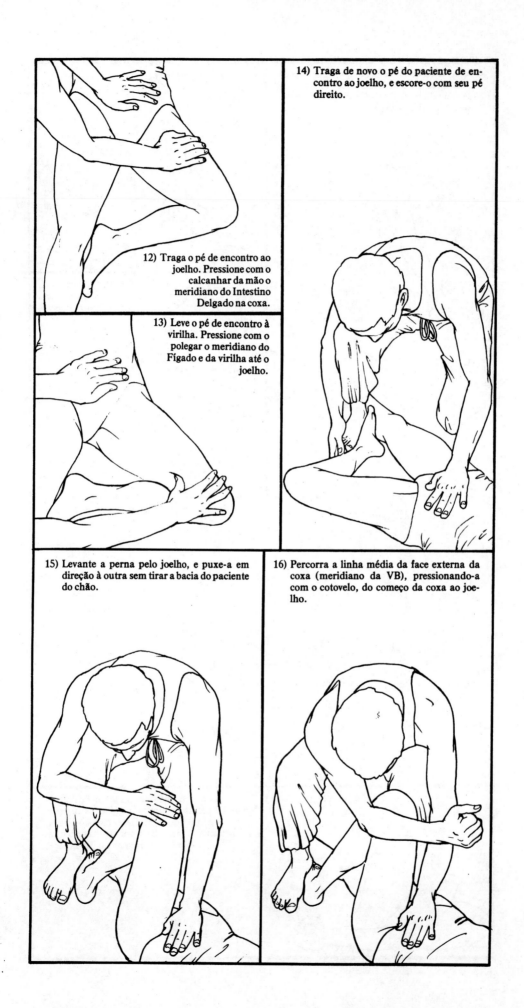

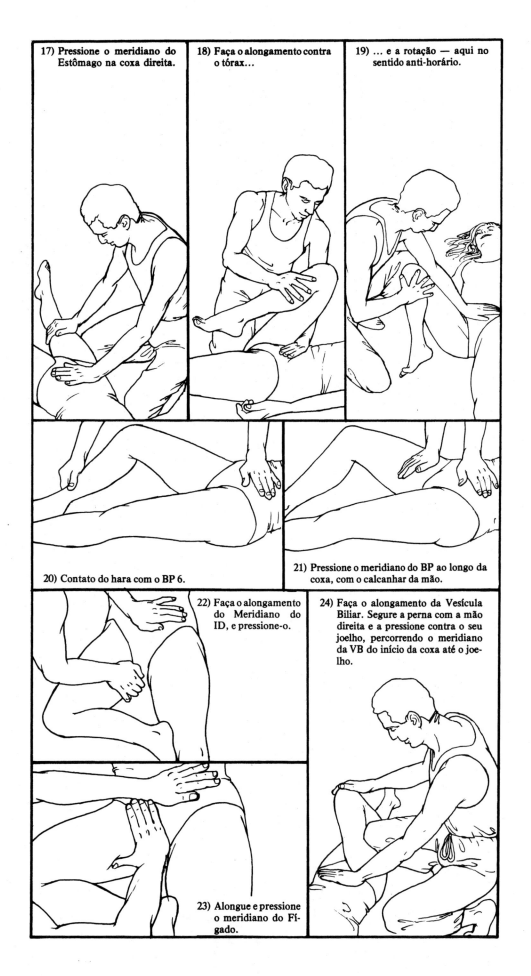

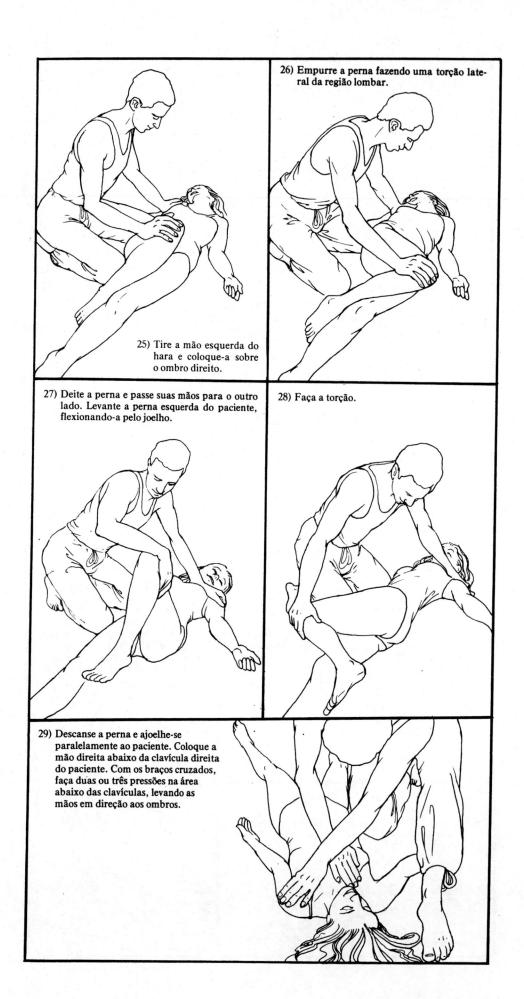

25) Tire a mão esquerda do hara e coloque-a sobre o ombro direito.

26) Empurre a perna fazendo uma torção lateral da região lombar.

27) Deite a perna e passe suas mãos para o outro lado. Levante a perna esquerda do paciente, flexionando-a pelo joelho.

28) Faça a torção.

29) Descanse a perna e ajoelhe-se paralelamente ao paciente. Coloque a mão direita abaixo da clavícula direita do paciente. Com os braços cruzados, faça duas ou três pressões na área abaixo das clavículas, levando as mãos em direção aos ombros.

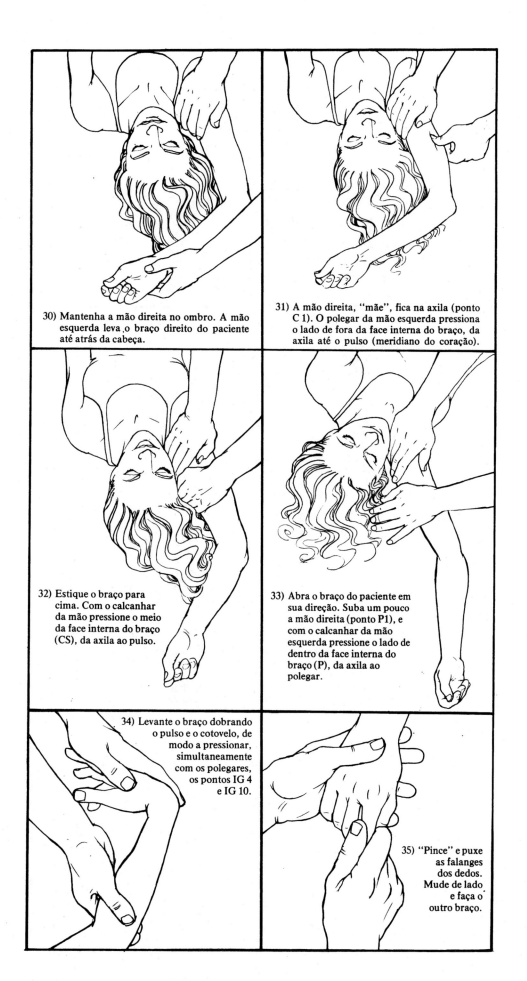

Cabeça e face

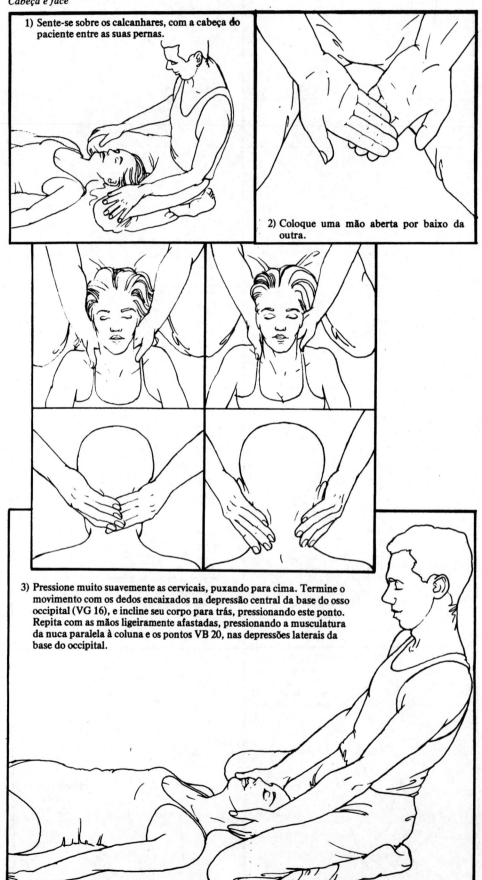

1) Sente-se sobre os calcanhares, com a cabeça do paciente entre as suas pernas.

2) Coloque uma mão aberta por baixo da outra.

3) Pressione muito suavemente as cervicais, puxando para cima. Termine o movimento com os dedos encaixados na depressão central da base do osso occipital (VG 16), e incline seu corpo para trás, pressionando este ponto. Repita com as mãos ligeiramente afastadas, pressionando a musculatura da nuca paralela à coluna e os pontos VB 20, nas depressões laterais da base do occipital.

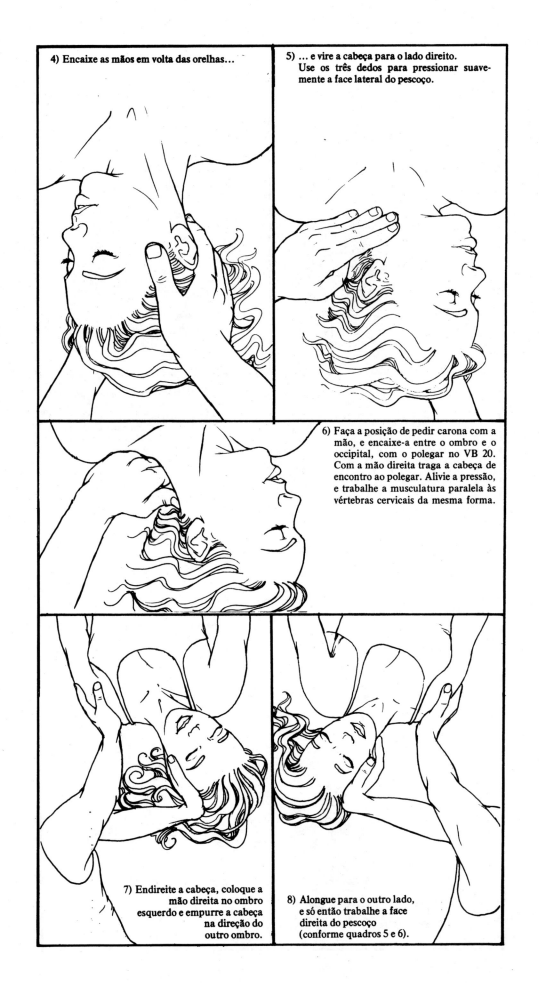

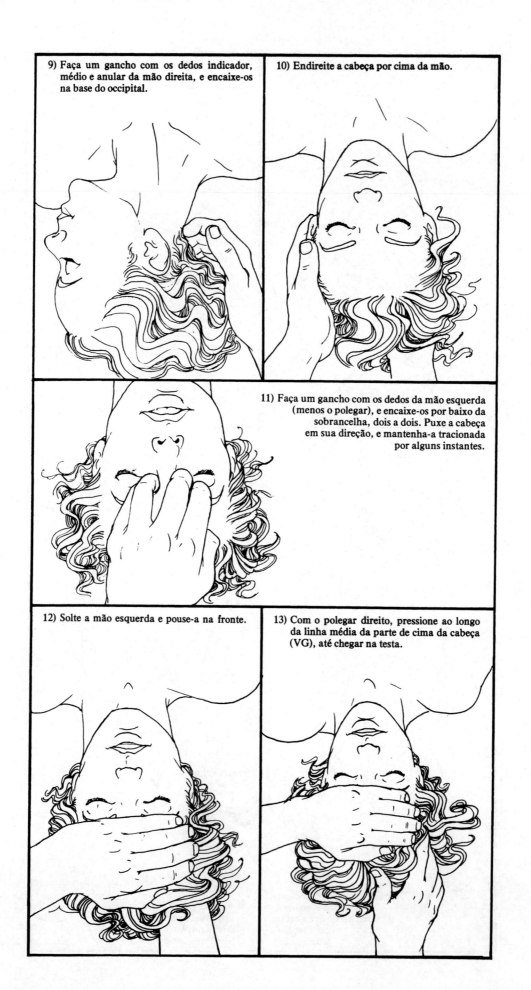

4. Posição de lado

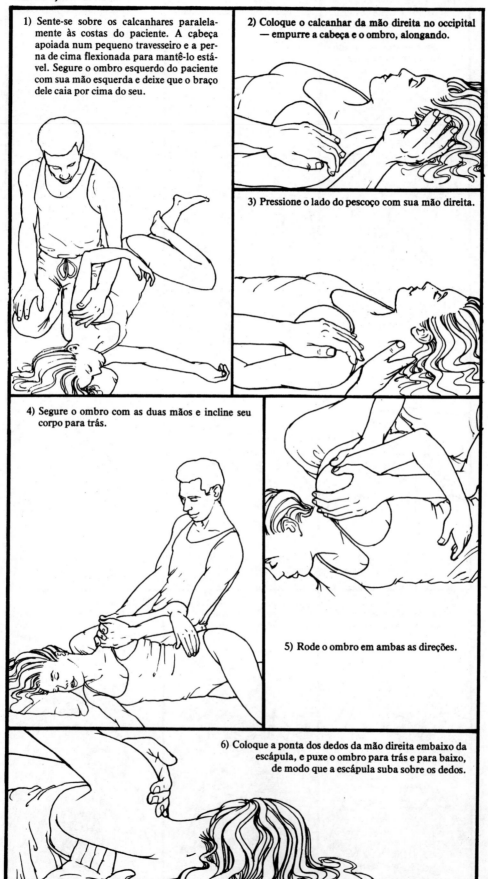

1) Sente-se sobre os calcanhares paralelamente às costas do paciente. A cabeça apoiada num pequeno travesseiro e a perna de cima flexionada para mantê-lo estável. Segure o ombro esquerdo do paciente com sua mão esquerda e deixe que o braço dele caia por cima do seu.

2) Coloque o calcanhar da mão direita no occipital — empurre a cabeça e o ombro, alongando.

3) Pressione o lado do pescoço com sua mão direita.

4) Segure o ombro com as duas mãos e incline seu corpo para trás.

5) Rode o ombro em ambas as direções.

6) Coloque a ponta dos dedos da mão direita embaixo da escápula, e puxe o ombro para trás e para baixo, de modo que a escápula suba sobre os dedos.

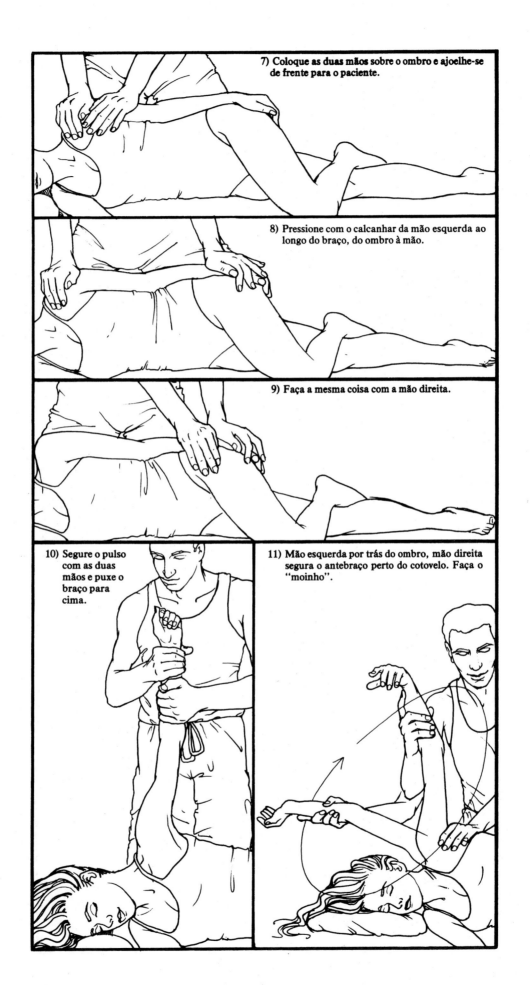

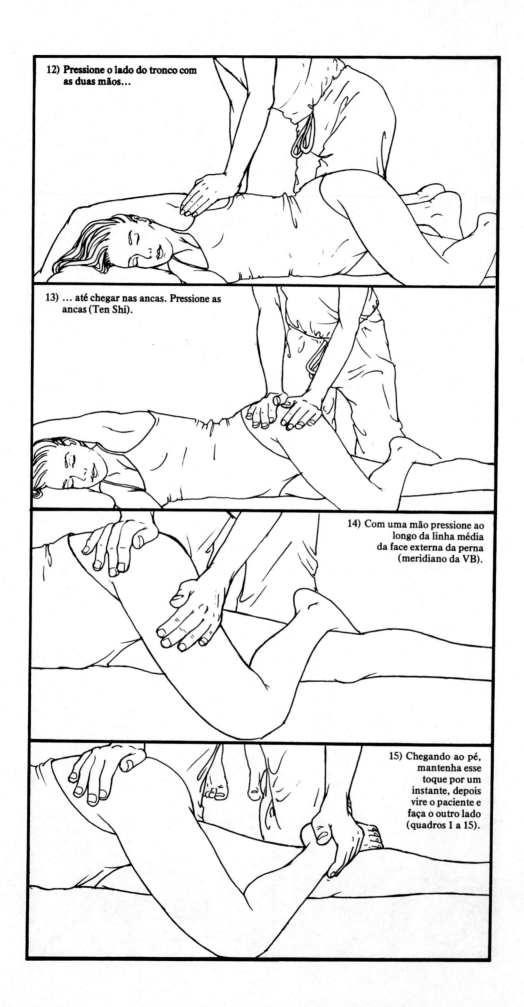

V. Alongamentos dos meridianos

"Não acredito que possamos fazer pelos outros o que não podemos fazer por nós mesmos." [1]

(A. Lowen, *Bioenergética*)

Quem trabalha com o corpo de outras pessoas necessita trabalhar seu próprio corpo. Só sentindo os meridianos e pontos em nós mesmos conseguimos senti-los nos outros. Os seis alongamentos que vamos ver a seguir nos ajudam a sentir os meridianos. Dessa forma percebemos em nosso próprio corpo onde eles se localizam. A seqüência completa desses alongamentos nos ajuda a compreender a essência do que queremos realizar na prática do shiatsu — um trabalho que atinja todos os meridianos, atuando integralmente sobre a energia do paciente. Outra função importante desses exercícios é a autodiagnose. Quando alongamos os meridianos podemos sentir mais claramente o estado em que eles se encontram. Dificuldade em fazer um determinado alongamento pode significar um desequilíbrio nos meridianos correspondentes.

A prática correta desses alongamentos é agradável e nos faz sentir bem. Regula o fluxo de energia nos meridianos e "solta" a musculatura, com reflexos positivos no funcionamento orgânico, na postura e na maneira como o corpo se movimenta.

RECOMENDAÇÕES

1) Mantenha a respiração fluida.

2) Relaxe dentro de cada alongamento. Alongar-se é, em grande parte, uma atividade passiva — coloque-se na posição e aguarde a musculatura soltar-se.

3) Não balance para frente e para trás tentando forçar o alongamento — mova-se devagar, alongue-se gradualmente.

4) Seja gentil com seu corpo, *não* se alongue até sentir dor.

---

(1) Ob. cit., p. 34.

5) Mantenha sua atenção voltada para os meridianos que estiver alongando.

6) Não curve as costas, mantenha-as relaxadamente eretas — dobre-se para frente *sempre* a partir dos quadris.

7) Não "tranque" os joelhos quando estiver fazendo um alongamento em que as pernas fiquem esticadas.

8) Não use a musculatura da região lombar para fazer os alongamentos. Mantenha-a relaxada, e utilize os braços para puxar o corpo para frente — como se estivesse suavemente estirando um arco para lançar uma flecha.

9) Faça cada alongamento apenas uma vez, permanecendo pelo menos 20 segundos em cada um deles.

10) Alongue-se dentro de suas possibilidades. "Ouça" seu corpo, de modo a lhe dar o que ele necessita — na medida precisa.

OS ALONGAMENTOS

Cada alongamento trabalha um par de meridianos acoplados. (Ver "Meridianos Acoplados", p. 105.)

1) *Meridianos: Pulmão e Intestino Grosso*

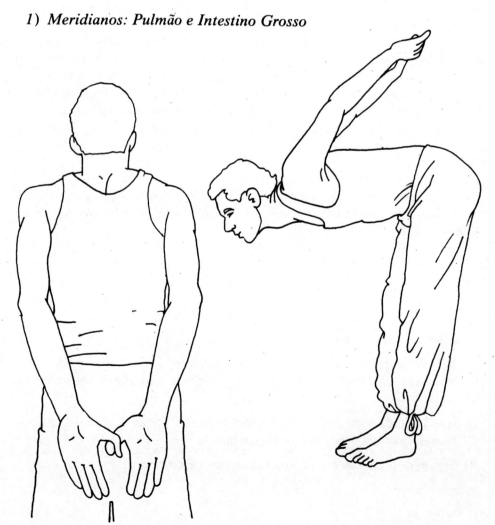

Fique de pé, com os pés paralelos e joelhos "soltos" (ligeiramente flexionados). Cruze os polegares atrás do corpo, na altura das nádegas. Incline-se para frente, trazendo as mãos o máximo possível para o alto e para frente. Deixe os ombros "rodarem" para trás. Mantenha a cabeça erguida e evite curvar as costas na região torácica. Após alguns momentos, erga-se lentamente, flexionando os joelhos para não forçar a região lombar.

2) Meridianos: Estômago e Baço-Pâncreas

Sente-se no chão. Dobre uma perna, de modo que o pé fique ao lado da nádega do mesmo lado, e apontado diretamente para trás. Mantenha a outra perna esticada na frente do corpo. Deite-se para trás (apoiando-se nos braços) sem retirar o joelho do chão. Não é necessário deitar-se completamente, só o suficiente para realizar o alongamento. Inverta a posição e alongue a outra perna.

3) Meridianos: Coração e Intestino Delgado

Sente-se e junte as solas dos pés. Traga-os o mais próximo possível do corpo. Segure os pés com as mãos, mantenha os joelhos próximos ao chão e incline-se para frente, tentando trazer a barriga de encontro aos pés. Para isso lembre-se de usar a força dos braços, e não a musculatura lombar, e de manter as costas eretas.

4) *Meridianos: Rim e Bexiga*

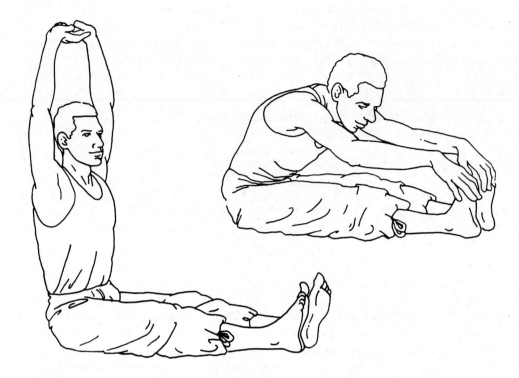

Sente-se com as pernas esticadas à frente do corpo. Incline-se para frente, a partir dos quadris, e segure os dedos dos pés com as mãos. Traga o tronco para frente, deitando-o sobre as pernas. Se você tiver dificuldade em segurar os dedos dos pés com as mãos mantendo as costas eretas, utilize uma toalha para "laçar" os pés — mas não curve as costas!

5) *Meridianos: Circulação-Sexo e Triplo Aquecedor*

Sente-se com as pernas cruzadas. Cruze também os braços estendendo-os por sobre o joelho da perna oposta. Incline-se para frente, deitando o tórax sobre as pernas e afastando as mãos do corpo. Mantenha a atenção nos braços, e relaxe. As palmas das mãos devem permanecer voltadas para baixo.

6) *Meridianos: Fígado e Vesícula Biliar*

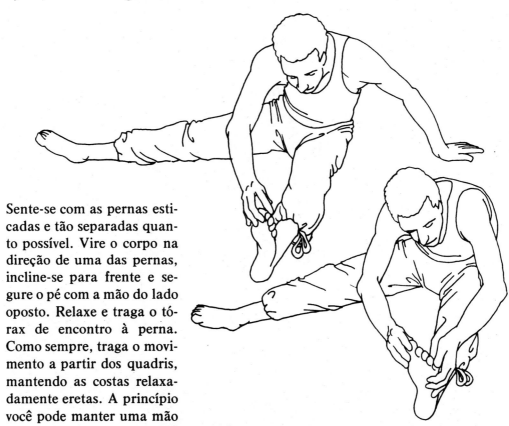

Sente-se com as pernas esticadas e tão separadas quanto possível. Vire o corpo na direção de uma das pernas, incline-se para frente e segure o pé com a mão do lado oposto. Relaxe e traga o tórax de encontro à perna. Como sempre, traga o movimento a partir dos quadris, mantendo as costas relaxadamente eretas. A princípio você pode manter uma mão (a do lado sobre o qual você está se inclinando) no chão, para dar mais equilíbrio. Depois, faça o mesmo alongamento tocando o pé com as duas mãos. Observe que você está alongando o meridiano do fígado na perna oposta, e não aquela sobre a qual você está se inclinando.

Faça o alongamento inclinando-se agora sobre a outra perna.

ALONGAMENTOS PARA TENSÃO NAS COSTAS

O zen shiatsu é uma atividade benéfica também para o corpo do praticante. No zen shiatsu "descansamos" nosso peso sobre as áreas que queremos trabalhar. Não utilizamos nossa força muscular, mas a força da gravidade — as pressões são determinadas pelo controle de nossos movimentos e de nosso equilíbrio. Para fazer os alongamentos e outras manobras no paciente, executamos os movimentos sempre em torno de um ponto de apoio, num mecanismo similar ao de uma alavanca. Trabalhamos assim sem nunca nos tensionar. A prática do zen shiatsu é um exercício brando, que desenvolve o senso de equilíbrio e ajuda o corpo a se movimentar com mais harmonia. Torna-o mais flexível e ativa o funcionamento dos órgãos internos. Nos traz uma nova consciência do corpo e da energia que ele contém.

No entanto, a prática do zen shiatsu é também uma arte e, como toda arte, necessita ser desenvolvida. Se dores surgem no corpo do praticante é porque ele o está utilizando de maneira errada. Alguns principiantes sentem tensão nas costas, principalmente na região lombar. Aliás, problemas nas costas são comuns na nossa civilização — uma decorrência do estilo de vida do homem moderno. Podemos aliviar estas tensões com alongamentos que atuam sobre as articulações vertebrais e alongam a musculatura das costas.

1) *Para a Tensão Cervical e Dorsal*

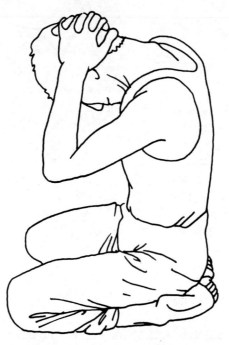

Coloque as mãos com os dedos cruzados por trás da cabeça — com os polegares na altura da borda inferior do osso occipital. Deixe a cabeça cair para frente. Os braços devem estar soltos, os ombros relaxados e os cotovelos caídos, de modo que apenas o peso natural dos braços puxe a cabeça para baixo. Mantenha a coluna ereta e a respiração fluida. Esse exercício alonga a musculatura da nuca e da região dorsal. Também atua, de forma mais branda, sobre a região lombar.

2) *Para a Tensão Lombar*

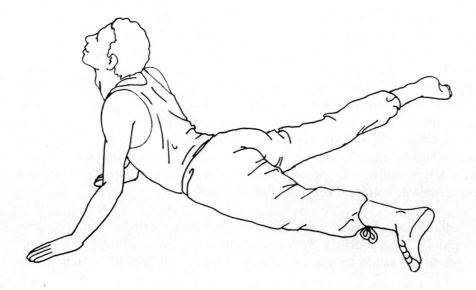

Deite-se de barriga para baixo, com as pernas bem abertas. Coloque as palmas das mãos no chão, do lado dos ombros. Erga lentamente o tronco a partir da cabeça, utilizando a força dos braços. As pernas abertas servem para manter o ventre junto ao chão. Na posição máxima, respire fundo e relaxe o corpo. Deixe o tronco descer lentamente, começando pela base da coluna, de modo que a cabeça seja a última a tocar o solo. Esse exercício atua sobre as articulações das vértebras lombares, alonga a musculatura profunda da região dos quadris e também o músculo reto abdominal.

3) Rotação Lombar

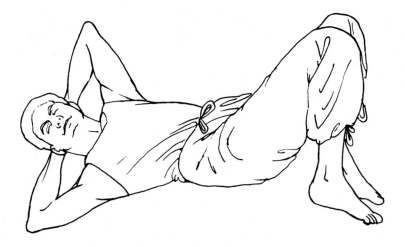

Deite-se com a barriga para cima, com os braços abertos ou as mãos cruzadas por trás da cabeça, e com as pernas dobradas. Os pés devem estar próximos às nádegas. Mantendo os ombros no chão, deixe os joelhos caírem para um dos lados do corpo. Respire e relaxe. Descanse nessa posição por quanto tempo você quiser. Faça o outro lado. Atua sobre as articulações lombares. Alonga a musculatura lombar e a musculatura lateral do tronco. Se seus músculos abdominais estiverem tensos, você sentirá o alongamento também nessa região do corpo.

4) Para as Costas todas — Regiões Cervical, Dorsal e Lombar

Sente-se com as pernas dobradas na frente do corpo. Você deve estar numa superfície firme porém acolchoada, para não machucar as costas — principalmente a 7ª vértebra cervical (a proeminente). Abrace os joelhos e role para trás e para frente, movendo as pernas para dar o impulso necessário. Após balançar algumas vezes, solte os braços e deixe as pernas e os braços caírem por trás da cabeça. Respire e relaxe. Deixe a força da gravidade puxar lentamente suas pernas para baixo, até que seus joelhos encostem no chão (se possível). Para alongar mais, abrace as pernas, trazendo os joelhos para os lados dos ouvidos. Saia do alongamento novamente balançando para frente e para trás, terminando de volta na posição sentada. Esse exercício alonga toda a musculatura das costas. Caso você seja pouco flexível, coloque um ou dois travesseiros entre seus joelhos e o chão, de modo a você poder relaxar no alongamento. Vá devagar!

5) *Outros Alongamentos para a Região Lombar*

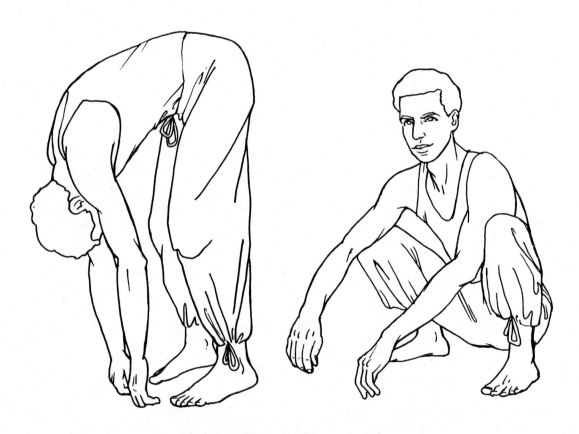

Fique de pé, com os pés ligeiramente afastados e paralelos. Flexione levemente os joelhos, e deixe o tronco cair para a frente. Respire e relaxe. Descanse nessa posição por quanto tempo você quiser.

Também muito bom para relaxar a região lombar é simplesmente ficar de cócoras. Essa posição também alonga músculos da perna e ativa o funcionamento intestinal. Se você tiver dificuldade em ficar nessa posição, coloque um pequeno calço sob os calcanhares.

EXERCÍCIOS DE AQUECIMENTO ARTICULAR

Ainda crianças, todos aprendemos: "O corpo divide-se em cabeça, tronco e membros". O tronco articula-se com a cabeça através do pescoço (vértebras cervicais) e com os membros através dos ombros e quadris (cinturas escapular e pélvica). Vamos ver então três exercícios de rotação que aqueçam e "soltem" essas articulações. Essas rotações devem ser feitas de forma lenta, sentindo a articulação trabalhada — e com a maior amplitude possível. Podem ser executadas antes de outras atividades físicas (alongamentos, etc.), ou a qualquer momento que você sinta seu corpo tenso.

1) Rotação do pescoço

Fique de pé, com os joelhos levemente flexionados (para dar equilíbrio e resguardar a região lombar) e as mãos juntas atrás do corpo (para aumentar o alongamento lateral dos músculos do pescoço). Rode a cabeça algumas vezes, primeiro para um lado, depois para o outro — rotações amplas e lentas, como já foi dito. Permaneça um pouco nas posições de maior tensão.

2) Rotação dos ombros

De pé, com os joelhos levemente fletidos, rode lentamente um braço pela frente e pelo lado do corpo. O sentido da rotação é um só — o braço sobe pela frente do corpo e desce pelo lado. Execute a rotação algumas vezes, até sentir a articulação aquecida. Faça então o outro braço. Veja figura seguinte.

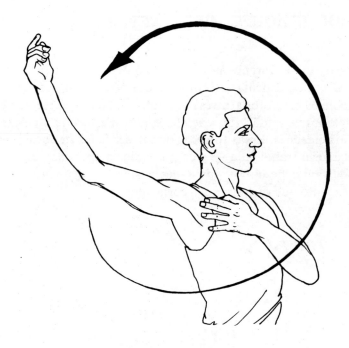

3) *Rotação dos quadris*

Igualmente de pé, com os joelhos flexionados. Coloque as mãos na altura dos quadris, os polegares apoiados no sacro. Rode os quadris, primeiro num sentido, depois no outro.

VI. *Auto-shiatsu*

O shiatsu é uma técnica própria para ser aplicada em outra pessoa. Mas o conhecimento prático que adquirimos trabalhando nos outros pode ser utilizado em nós mesmos. É claro que é sempre melhor recebermos de outra pessoa, mas, sempre que necessário, podemos praticar auto-shiatsu. O auto-shiatsu produz os melhores resultados quando é utilizado como complemento aos exercícios de alongamentos vistos anteriormente.

O mais difícil quando aplicamos shiatsu em nós mesmos é aprendermos a trabalhar sem tensionarmos nossos braços, mãos e dedos. Shiatsu aplicado com mãos tensas (seja em nós mesmos ou nos outros) é um shiatsu de má qualidade. A idéia de tensionarmos alguns músculos para relaxarmos outros (admitindo que isso fosse possível) não é muito inteligente. Você vai ver então que, mesmo quando praticamos auto-shiatsu, utilizamos o peso de nosso corpo para executar as pressões.

A auto-seqüência que se segue está longe de ser completa. Ela serve para lhe dar uma idéia de como trabalhar em si mesmo. Após captar o espírito da coisa, você pode facilmente estender seu auto-shiatsu aos meridianos e tsubos que julgar necessários.

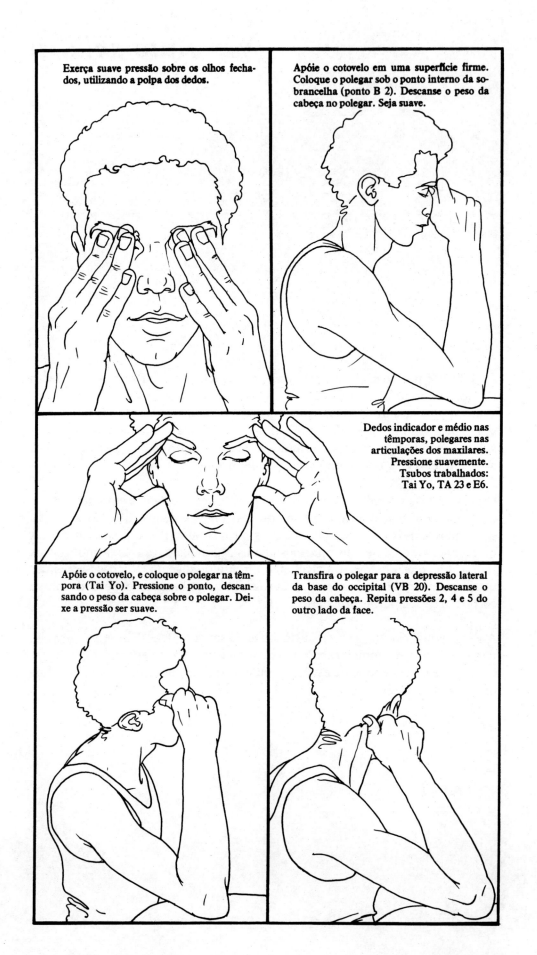

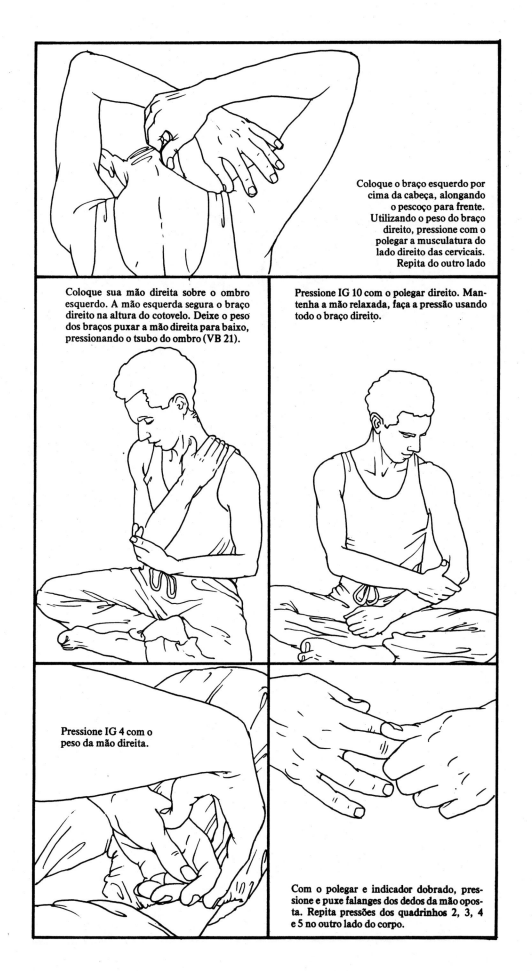

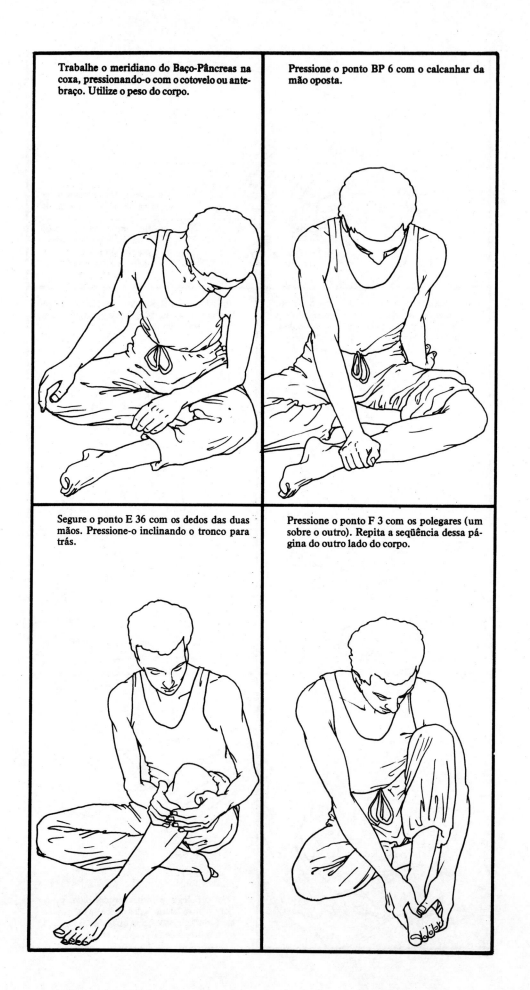

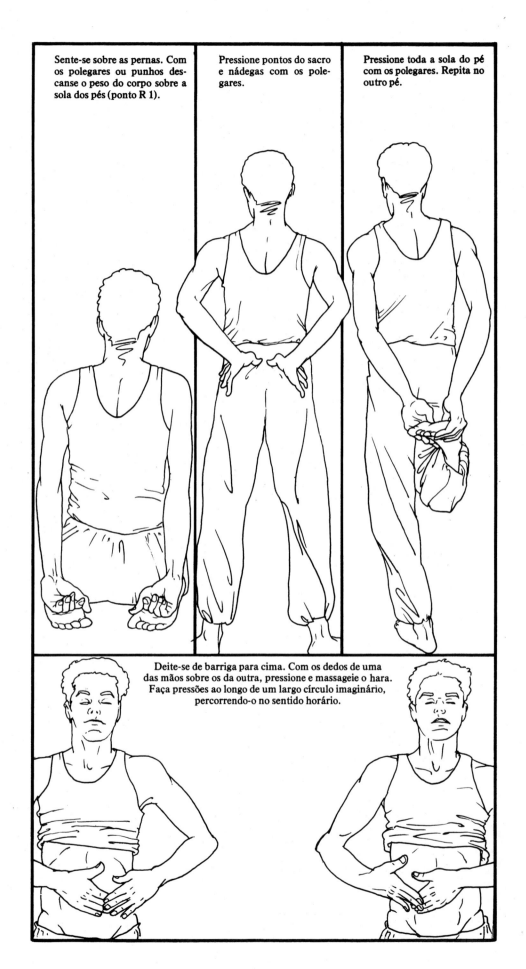

VII. Diagnóstico
no zen shiatsu

A palavra diagnóstico no zen shiatsu não é usada em referência a doenças e sintomas, mas à qualidade (kyo ou jitsu) da energia em cada um dos meridianos. Não estamos, enfim, procurando enfermidades específicas, mas trabalhando com as bases da existência do paciente — seu sistema energético. Para realizarmos corretamente esse diagnóstico necessitamos não só de conhecimento, mas também de sensibilidade de percepção, intuição e muita prática.

Na medicina oriental, temos quatro métodos principais de diagnose:

1) *bo-shin* — é o diagnóstico geral através da observação visual. Começa no instante em que entramos em contato com o paciente. Postura, atitude, cor e expressão da face, expressão física, tudo que pode ser percebido visualmente é levado em conta.

2) *bun-shin* — diagnóstico através de sons. Tom de voz, ruídos do funcionamento orgânico (respiração, circulação, digestão) — a audição é o canal de percepção utilizado no bun-shin.

3) *mon-shin* — diagnóstico através de perguntas. Conversando com o paciente, conhecendo seu estilo de vida, seus problemas físicos e emocionais, que áreas do corpo ele sente mais tensas, etc., nos ajuda a compreender seus possíveis desequilíbrios energéticos. Em mon-shin temos que observar as reações do paciente enquanto ele fala, e aprender a ouvir o que ele "não diz".

4) *setsu-shin* — diagnóstico através do toque. No setsu-shin, quando tocamos uma área compreendemos o funcionamento do corpo como um todo, e não apenas o da área tocada.

No shiatsu, setsu-shin é o diagnóstico definitivo — o mais importante, já que está integrado à própria aplicação da técnica. As principais formas de setsu-shin no zen shiatsu são o diagnóstico-terapia da área abdominal, ou hara (ampuku) e o diagnóstico dos meridianos (através de toques e alongamentos).

No shiatsu, diagnóstico e tratamento se confundem — são uma coisa só. Quando pressionamos determinada área no hara, por exemplo, a estamos tratando e diagnosticando ao mesmo tempo. Tratamento é diagnose, diagnose é tratamento. Na verdade, o diagnóstico consiste na observação criteriosa do paciente *durante* a aplicação da técnica. Como determinada área

145

reage à pressão, seu grau de rigidez, de sensibilidade, se o corpo se contrai com o toque, o cheiro que ele exala, etc. — tudo é analisado dentro de um contexto. O diagnóstico então se aprofunda enquanto vamos trabalhando e respondendo às necessidade do corpo do paciente.

DIAGNÓSTICO-TERAPIA DO HARA

A importância do hara é bem definida por Toudou Yoshimasu, mestre em medicina oriental: "Hara é a fonte de energia ki. Todas as doenças provêm dessa área. Daí, tudo pode ser percebido através da diagnose do hara".

No ampuku (diagnóstico-terapia do hara), as pressões utilizadas têm características comuns às normalmente empregadas no zen shiatsu — são firmes, contínuas, suaves e profundas. Através desse tipo de pressão, qualquer dor existente gradualmente diminuirá e cessará. Dessa forma se realiza a função terapêutica do toque (dispersão da dor) e podemos sentir com maior clareza as condições da área trabalhada.

Utilizamos as duas mãos. A palma de uma (a da mão base, ou "mãe") dá o suporte para o trabalho da outra (mão "livre"). A mão "mãe" mantém o paciente relaxado e nos permite sentir as reações provocadas pelas pressões exercidas pela mão "livre". Qualquer desconforto ou dor ocasionada por uma determinada pressão provocará uma contração na região do hara — uma tentativa automática do corpo de se "fechar" para se proteger da intrusão incômoda. Essa contração é facilmente sentida pela mão "mãe".

Já a mão livre utiliza a "polpa" dos três dedos (indicador, médio e anular), que juntos exercem uma pressão de cerca de 5 segundos para cada área — ou mais, dependendo de seu estado. Essas áreas refletem o estado dos meridianos. Pelas condições de determinada área podemos concluir se a energia do meridiano correspondente está kyo, jitsu ou equilibrada.

KYO E JITSU

Kyo é a condição de carência de energia, jitsu a de excesso. Quando a pessoa está saudável, a energia flui livremente pelos seus meridianos. Qualquer desequilíbrio, por menor que seja (uma noite mal dormida, comida imprópria, uma discussão) nos afeta em nossa totalidade — corpo, mente, sistema energético. O sistema energético representa a essência de nossa existência. Nele os desequilíbrios se manifestam sob a forma de estagnações de energia nos meridianos. Nessas estagnações, alguns meridianos se encontram "sobrecarregados" (jitsu) e outros "esvaziados", com pouca energia (kyo). Nosso trabalho

Áreas reflexas no hara e nas costas, e os meridianos especiais das pernas utilizados na prática do zen shiatsu.

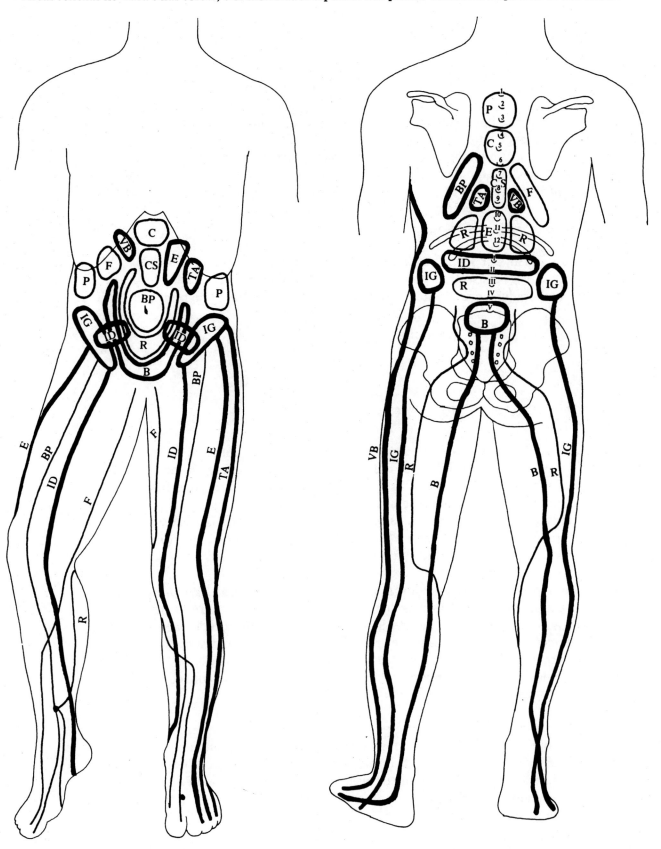

consiste em agir sobre os meridianos para normalizar o fluxo energético. Como os meridianos são a expressão energética de nossas funções físicas e psicológicas, equilibrar a energia nos meridianos significa equilibrar o próprio funcionamento orgânico.

Jitsu aparece na superfície, às vezes até de forma protuberante, num estado de tensão, rigidez e resistência ao toque. A área kyo se apresenta flácida, fraca, e oferece pouca resistência ao toque inicial — mas se mostra tensa e sensível quando aprofundamos o toque. Tanto áreas kyo quanto jitsu podem apresentar sensibilidade, mas as kyo se caracterizam por causarem dor penetrante quando manipuladas de forma abrupta, fazendo com que todo o corpo se contraia para se proteger da pressão "invasora". As áreas saudáveis se apresentam macias porém flexíveis, com boa elasticidade, e não causam desconforto ao serem tocadas.

As áreas jitsu, por serem superficiais, são mais fáceis de serem localizadas, mas as kyo são consideradas as origens dos desequilíbrios encontrados — ou seja, embora jitsu seja o sintoma mais aparente, kyo é a "raiz" do problema.

TONIFICAÇÃO E SEDAÇÃO

Lidamos com jitsu através da sedação. Na sedação, simplesmente estimulamos a área ou meridiano afetado até que a saliência e rigidez se normalizem. Já para fortalecer os "buracos" kyo precisamos sustentar um toque firme e profundo, e pacientemente esperar que se estabeleça um contato com a energia ki do ponto. A essa técnica chamamos de tonificação. A tonificação é mais demorada porque nela o calor e energia de nosso toque precisam penetrar profundamente a área tratada para alcançar e estimular a energia do ponto.

Mesmo sob um toque suave, muitas vezes o corpo usa de tensão para proteger seus pontos kyo — que são seus "pontos fracos". Essa tensão superficial faz com que áreas kyo possam parecer jitsu. Por isso o relaxamento do paciente é fundamental para localizarmos e tratarmos as áreas kyo com sucesso. Sob uma pressão firme e suave o paciente relaxa, a tensão superficial se "desarma", e nossa mão "cai" dentro do "buraco" kyo — só então o ponto começa a ser tonificado.

Podemos dizer que a diferença entre a rigidez superficial de natureza jitsu e a tensão que o corpo usa para encobrir seus pontos kyo é que, enquanto a primeira se "dissolve" (se desfaz de forma mais gradual), a outra se "desarma" (de maneira súbita). Quando uma tensão jitsu se "dissolve", a área em que ela se encontrava se normaliza. Já quando a outra se "desarma", por baixo dela vamos encontrar uma área kyo.

Achar as áreas kyo e tonificá-las é mais difícil que localizar as duras e proeminentes áreas jitsu e sedá-las. No entanto, como kyo representa a essência de todo desequilíbrio, é através do fortalecimento das áreas kyo que conseguimos sedar de forma consistente as de natureza jitsu. Por isso, no zen shiatsu sedação e tonificação são sempre executadas simultaneamente — enquanto a mão "livre" seda, a mão "mãe" tonifica.

A técnica de tonificação-sedação simultâneas é particularmente importante quando trabalhamos em pessoas que se encontram numa condição extremamente yin (kyo), com suas forças naturais de recuperação orgânica muito enfraquecidas. Se nos concentramos em sedar suas áreas jitsu sem nos preocuparmos com a tonificação que esse tipo de paciente tanto necessita, podemos fazer com que seu organismo consuma suas já escassas reservas de energia — tornando-o, ao final, ainda mais enfraquecido.

Como as funções orgânicas se inter-relacionam, condições de desequilíbrio afetam o corpo todo — de forma que todos os meridianos se apresentarão mais ou menos jitsu ou kyo. O melhor a fazer é darmos uma atenção especial ao(s) meridiano(s) mais kyo e ao(s) mais jitsu — nos concentrando na sua tonificação e sedação. Equilibrando os meridianos mais afetados, atuamos também sobre os demais meridianos.

DIAGNÓSTICO DOS MERIDIANOS ATRAVÉS DE ALONGAMENTOS

Nesse diagnóstico alongamos os braços e pernas de forma a expor — "trazer a tona" — os meridianos, dessa forma tornando suas condições energéticas mais aparentes. A partir da facilidade/dificuldade com que o alongamento é executado, da observação visual e do toque, podemos concluir se o meridiano se apresenta equilibrado, kyo ou jitsu. Basicamente o meridiano kyo se apresenta flácido, e o jitsu tenso — às vezes protuberante, como uma "corda esticada".

A importância da mão "mãe" é fundamental. Ela serve de pivô para o movimento executado pela outra mão. É a base contra a qual o alongamento é realizado. Qualquer contração muscular captada pela mão "mãe" durante a execução de um determinado alongamento nos indica que ele está sendo feito de forma excessiva e dolorosa para o paciente — além de seus limites de conforto.

Os Alongamentos (*diagramas*)

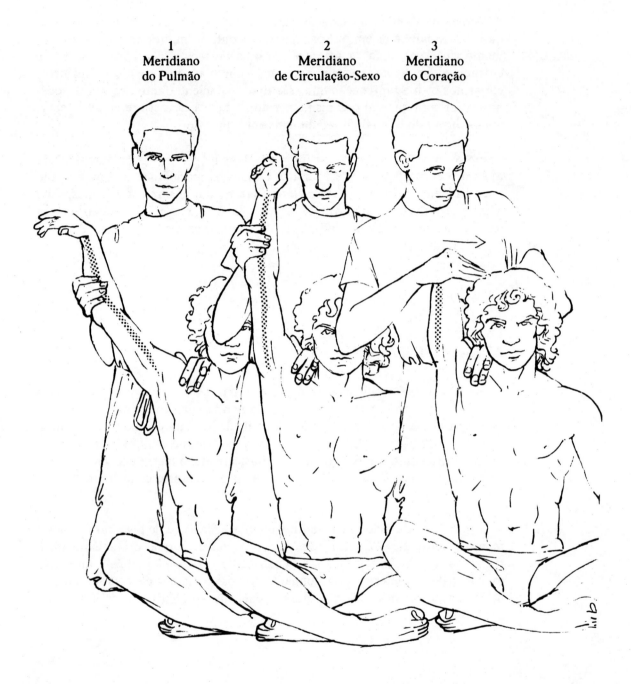

1
Meridiano
do Pulmão

2
Meridiano
de Circulação-Sexo

3
Meridiano
do Coração

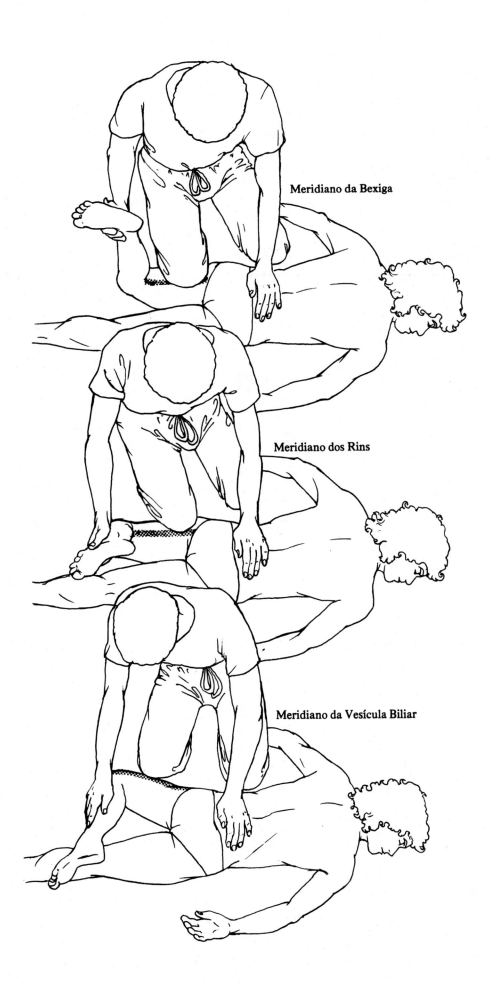

Meridiano da Bexiga

Meridiano dos Rins

Meridiano da Vesícula Biliar

PERNA DIREITA

Meridiano do Estômago

Meridiano do Baço-Pâncreas

Meridiano do Intestino Delgado

Meridiano do Fígado

Meridiano do Triplo Aquecedor

Meridiano da Vesícula Biliar

Meridiano do Intestino Grosso

Meridiano dos Rins

PERNA ESQUERDA

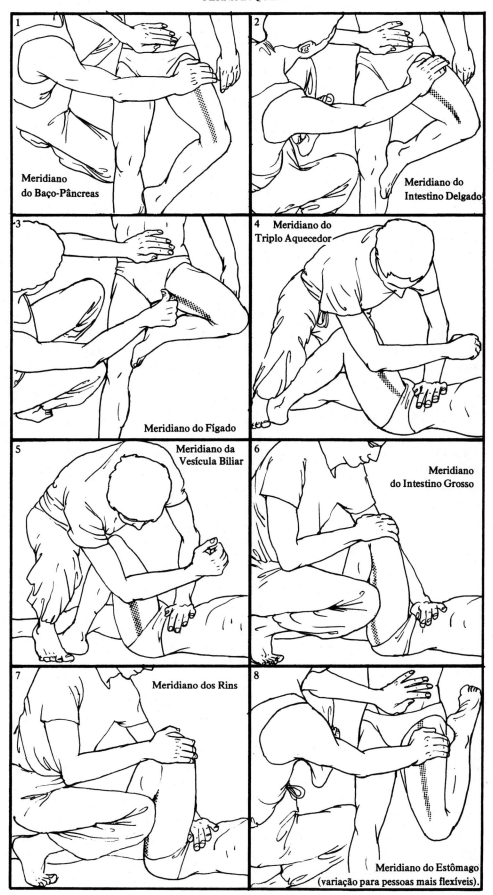

OUTRAS FORMAS DE DIAGNÓSTICO

O diagnóstico da qualidade energética dos meridianos deve ser feito considerando o corpo de uma forma ampla. No zen shiatsu, para chegarmos a uma conclusão precisamos observar o corpo todo, colher dados das diversas maneiras de diagnose que temos à nossa disposição e confrontar os resultados de nossas observações.

Comparando o mapa das zonas reflexas do hara com as ilustrações dos sistemas digestivo, urinário e circulatório (ver capítulo de anatomia), notamos que certas zonas reflexas apresentam uma vinculação anatômica mais aparente do que outras. No zen shiatsu trabalhamos o hara baseados nas zonas reflexas. No entanto, devemos estar conscientes da disposição anatômica dos órgãos na cavidade abdominal. Essa consciência aprimora e enriquece nosso diagnóstico.

Além do hara e dos alongamentos dos meridianos, a observação das zonas reflexas das costas é particularmente importante no processo de diagnose. Podemos também conferir nossas conclusões verificando o estado de certos tsubos no corpo — em especial os pontos Associados e os pontos de Alarme.

Áreas Reflexas nas Costas

Essas áreas reflexas se baseiam largamente na disposição anatômica dos órgãos. Seu conhecimento nos permite relacionar aos meridianos e funções orgânicas regiões tensas ou sensíveis que venhamos a localizar nas costas durante a aplicação do shiatsu. São especialmente úteis na prática do zen shiatsu — onde utilizamos muito o "calcanhar" das mãos, trabalhando mais com áreas do que com pontos.

Diagnóstico da Coluna

Desvios, tensões ou calombos localizados ao longo da coluna podem ter relação com um mau funcionamento do órgão correspondente à área afetada. Uma maneira simples de observá-la é correr os dedos ao longo de toda sua extensão, exercendo suave pressão. Utilizamos os dedos indicador e médio, um de cada lado da coluna, num movimento contínuo de cima para baixo — e ficamos atentos a qualquer irregularidade.

Pontos Associados

Também conhecidos por pontos de Assentimento. Localizam-se ao longo do meridiano da Bexiga, nas costas, entre os processos transversos das vértebras, de ambos os lados. Tradicionalmente temos 12 pontos Associados — cada um dos 12 meridianos principais tem o seu. Uma sensibilidade maior em um desses pontos pode ser sinal de algum desequilíbrio na energia do meridiano correspondente.

Observe que os pontos Associados apresentam uma relação anatômica com o sistema nervoso autônomo (ver capítulo de anatomia, p. 90) — que atua sobre — e regula — o funcionamento dos órgãos do corpo humano.

Os pontos Associados são classicamente utilizados para a sedação, e os pontos de Alarme, situados na parte da frente do corpo, para a tonificação. Aliás, sendo as costas de natureza yang, e o tórax e hara de natureza yin, em geral shiatsu nas costas apresenta uma qualidade mais sedativa, e no hara mais tonificante.

Pontos Associados

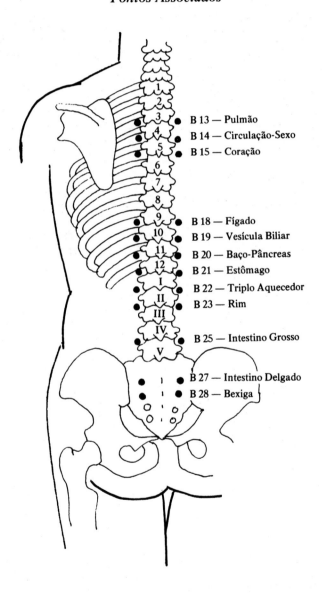

Pontos de Alarme

Localizam-se no tórax e no abdômen. Tornam-se espontaneamente sensíveis quando as funções dos meridianos a eles relacionados apresentam alguma alteração. Não é necessário verificar todos os pontos de Alarme — basta utilizar aqueles que sirvam para testar as observações colhidas nas formas de diagnóstico típicas do zen shiatsu (zonas reflexas do hara e das costas, alongamento dos meridianos).

Pontos de Alarme

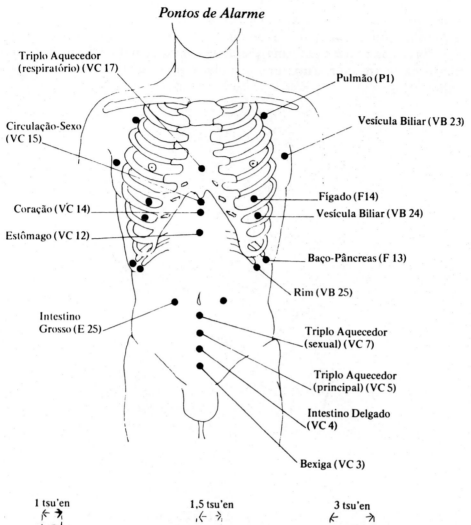

 1 tsu'en

 1,5 tsu'en

 3 tsu'en

Localização dos pontos:

E 25 — 2 t ao lado do umbigo
F 13 — 2 t na extremidade da 11.ª costela
F 14 — 2 t na linha do mamilo, entre a 6.ª e 7.ª costelas
VB 23 — 1 t abaixo da prega da axila
VB 24 — 2 t na linha do mamilo, abaixo do F 14
VB 25 — 2 t na extremidade da 12.ª costela
VC 3 — { 4 t abaixo do umbigo
{ 1 t acima do púbis (borda superior)

P1 — 1,5 t abaixo do meio da clavícula
VC 4 — 3 t abaixo do umbigo
VC 5 — 2 t abaixo do umbigo
VC 7 — 1 t abaixo do umbigo
VC 12 — 4 t acima do umbigo
VC 14 — 2 t abaixo do esterno
VC 15 — { 1 t abaixo do apêndice xifóide
{ 1 t abaixo do esterno
VC 17 — 1 t na linha dos mamilos

MERIDIANOS ACOPLADOS

Os 12 meridianos principais são agrupados em pares. Esse agrupamento baseia-se nas funções dos meridianos. Os meridianos que compõem cada par são chamados Acoplados. Existe uma relação profunda entre os meridianos Acoplados. "Cada um destes pares de meridianos representa uma função inseparável, embora orgânica e mecanicamente estejam representados por aparelhos diferentes. Nesta função total, há um órgão yang e outro yin, que polarizam a função em dois sentidos opostos, porém complementares" (*Apontamentos de Acupuntura*, p. 39, publicado pela Seção de Santa Catarina da Associação Brasileira de Acupuntura). Na prática observamos que quando um meridiano se encontra desequilibrado, freqüentemente seu Acoplado o acompanha.

É por serem as funções essencialmente 6, que realizamos um trabalho completo sobre os 12 meridianos com aqueles 6 alongamentos vistos anteriormente (ver "Alongamentos dos Meridianos", p. 150 e segs.).

Essas funções basicamente são:

Meridianos Acoplados	*Função*
Pulmão e Intestino Grosso	— Respiração e eliminação
Estômago e Baço	— Fermentação e digestão
Coração e Intestino Delgado	— Controle central e conversão material e psicológica
Bexiga e Rim	— Purificação e vitalidade
Circulação-Sexo e Triplo Aquecedor	— Circulação e proteção orgânica
Vesícula Biliar e Fígado	— Estocagem e remessa de nutrientes/energia.

De acordo com os conceitos clássicos (extraídos do Nei Ching), os meridianos Acoplados apresentam a seguinte relação:

Meridiano yin	Fígado	Coração/C-S	Baço-Pâncreas	Pulmão	Rim
Meridiano yang	Vesíc. Biliar	Int. Delg./TA	Estômago	Int. Grosso	Bexiga
Elemento	Madeira	Fogo	Terra	Metal	Água
Sentido Órgão	Visão/ Olhos	Palavra/ Língua	Paladar/ Boca	Olfato/ Nariz	Audição/ Ouvidos
Alimenta	Músculos (tendões, ligamentos)	Sangue (circulação)	Carne (gordura)	Pele e cabelo	Ossos e medula
Perturbações	Na garganta e pescoço	No peito e costelas	Na coluna	Nos ombros e costas	Nas costas e coxas
Saúde se manifesta no estado dos (as)	Unhas	Cor da pele	Cor e aspecto dos lábios	Cabelos do corpo	Cabelos da cabeça

segue

Disfunção se manifesta na tez pela coloração	Esverdeada	Avermelhada	Amarelada	Pálida	Enegrecida
Disfunção faz corpo exalar cheiro	Rançoso	De queimado	Doce e perfumado	Carnoso	Pútrido
Cria a emoção da	Cólera	Alegria/ felicidade	Consideração/ simpatia	Mágoa	Medo
Som associado	Grito	Alegre (risos)	Canto	Choro	Gemido
Temperamento associado	Deprimido	Emocional- mente instável	Obsessivo	Angustiado	Medroso
Períodos de excitação e mudança provocam	Capacidade de controle (autoridade)	Tristeza e e dor	Arrotos	Tosse (nervosa)	Tremores
Disfunção provoca excesso de	Lágrimas (olhos lacrimejantes)	Suor	Saliva	Muco	Urina

FUNÇÕES DOS MERIDIANOS PRINCIPAIS

São 12 os meridianos principais. São chamados pares ou simétricos por se situarem simetricamente nos lados direito e esquerdo do corpo. Em sua maioria possuem os nomes dos principais órgãos internos. Todavia, os meridianos *não* estão diretamente relacionados aos órgãos, mas às funções por eles executadas. O meridiano do Pulmão, por exemplo, é associado à função respiratória (absorção da energia ki do ar e eliminação dos gases desnecessários). Os pulmões representam apenas o órgão principal, a "estrela" das funções conectadas ao meridiano do Pulmão.

Os meridianos são de natureza energética. Suas funções e características não se restrigem aos aspectos fisiológicos normalmente associados aos órgãos do corpo — apresentam também relações psicológicas e emocionais. O meridiano do Coração não é associado somente à circulação sangüínea, mas também ao espírito e à emoção, à compaixão, à inteligência e à consciência. O meridiano do Pulmão, visto anteriormente, reflete também nossa adequação psicológica e emocional ao meio ambiente em que vivemos — relação mundo exterior/mundo interior. E assim com todos os outros meridianos, como vamos ver a seguir:

MERIDIANO   *FUNÇÕES*

PULMÃO   • Absorção da energia ki do ar — que vai ser transmitida ao organismo através da circulação.

- Resistência a intrusões externas (físicas e psicológicas) — vias respiratórias capturam corpos estranhos em muco, não permitindo que penetrem no organismo.
- Relacionamento mundo interior/exterior.
- Purificação do organismo através da exalação (eliminação de gases).
- Órgãos relacionados: pulmões, vias aéreas e pele (que também respira).

INTESTINO GROSSO

- Absorção de líquidos.
- Auxilia na função dos pulmões — água é adicionada ao oxigênio tornando-o líquido antes dele ser absorvido pelo sangue.
- Eliminação de resíduos sólidos (do corpo) e psicológicos (da mente — negatividade, insatisfação, etc.).
- Elimina estagnação da energia ki.

ESTÔMAGO

- Digestão — transformação (recepção e decomposição) de alimentos.
- Controla mecanismo do apetite — buscar o que necessitamos.
- Relacionado ao funcionamento do esôfago, estômago e duodeno.
- Relacionado aos ovários, lactação e ciclo menstrual.

BAÇO-PÂNCREAS

- Fermentação e digestão de alimentos — responsável por secreções digestivas, como a saliva, o suco pancreático, etc.
- Relacionado à fadiga e ansiedade psicológica — capacidade de "digerir" o conteúdo da vida.
- Também relacionado às funções sexo-urinárias e ao ciclo menstrual — secreção de hormônios sexuais.

CORAÇÃO

- Absorção de informações — nutrição psíquica-espiritual.
- Controla espírito e emoção, vivacidade e afetividade. Expressão verbal.
- Controla energia psíquica (consciência, inteligência), e a partir daí todo o corpo-mente. É o "Supremo Controlador".
- Relacionado ao coração e vasos sangüíneos.

INTESTINO DELGADO

- Absorção de nutrientes — nutrição física.
- Separa "puro do impuro" (nutrientes e resíduos).
- Também relacionado à circulação sangüínea — (nutrientes absorvidos entram na circulação sangüínea).

MERIDIANO	FUNÇÕES

BEXIGA

- Armazenagem e eliminação da urina (complementando e auxiliando a função dos rins).
- Relacionado ao sistema nervoso autônomo — em especial ao sistema simpático, e assim a todas as funções orgânicas.
- Ligado aos órgãos genitais e urinários.

RIM

- Filtra o sangue, purificando-o e produzindo a urina — mantendo o equilíbrio e a proporção correta de líquidos no organismo.
- Relacionado ao sistema glandular endócrino — controlando a energia e vitalidade do corpo e o equilíbrio psicológico. Ligado à produção de hormônios sexuais e da adrenalina — vontade (instinto) de sobrevivência e evolução.

CIRCULAÇÃO-SEXO (MESTRE DO CORAÇÃO)

- Controle de líquidos do corpo (sistema sangüíneo — circulação principal).
- Suplementa e protege função do meridiano do Coração relacionada ao sistema circulatório.
- Por intermédio da circulação sangüínea, controla alimentação e proteção (através de anticorpos) das células do corpo.

TRIPLO AQUECEDOR

- Controle de líquidos do corpo (sistema linfático e sangüíneo — circulação periférica) — controle da temperatura do corpo.
- Suplementa ação do meridiano do Intestino Delgado. Através da circulação de nutrientes/energia, relaciona-se com órgãos e controla funções orgânicas: aquecedor superior relacionado aos órgãos do tórax (função cárdio-respiratória); aquecedor médio aos da área do plexo solar (função digestiva); e aquecedor inferior aos da região do baixo-ventre (função gênito-urinária).

VESÍCULA BILIAR

- Equilíbrio da energia total do corpo — agindo através do controle de secreções e hormônios como a bílis, insulina e hormônios secretados pelo duodeno, e da distribuição de nutrientes ao organismo.
- Atua na digestão — metabolismo de gorduras.
- Relacionado ao processo de decisões sobre situações práticas.

FÍGADO

- Armazena nutrientes e energia, liberando-os no momento necessário — tem uma função de planejamento energético.
- Desintoxicação do sangue para manutenção da energia física.
- Atua na digestão — produção da bílis.

Quadro das funções dos meridianos

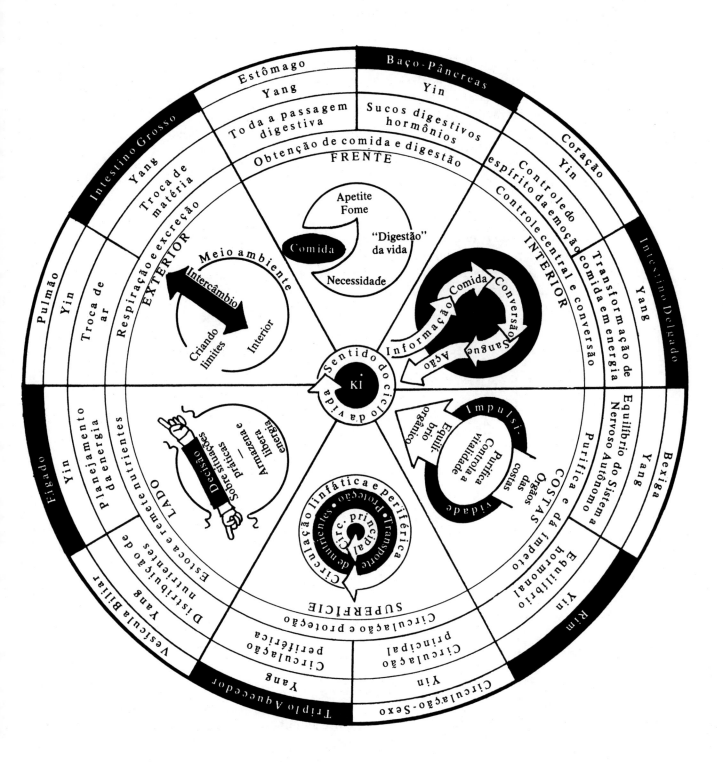

PEQUENA CIRCULAÇÃO DE ENERGIA

Os doze meridianos principais formam a chamada "grande circulação de energia". Os meridianos Vaso de Governo e Vaso de Concepção constituem a "pequena circulação de energia".

Os Vasos de Governo e de Concepção são meridianos ímpares (assimétricos), já que se localizam na linha média da parte da frente e da parte de trás do corpo. Compõem com outros seis um grupo de meridianos especiais conhecidos por Vasos Maravilhosos. Os Vasos Maravilhosos não possuem pontos próprios, são constituídos por pontos "emprestados" dos doze meridianos principais. O Vaso de Governo e Vaso de Concepção são exceções — possuem seus próprios pontos, e por isso são geralmente classificados juntos com os meridianos principais, sendo considerados o 13º e 14º meridianos.

A pequena circulação de energia (como também os outros Vasos Maravilhosos) tem uma função reguladora sobre a grande circulação. Se existe um excesso de energia nos meridianos principais, esse excesso se escoa, ativando os meridianos extras. Os meridianos extras funcionam também como um reservatório, suprindo a grande circulação em caso de carência energética.

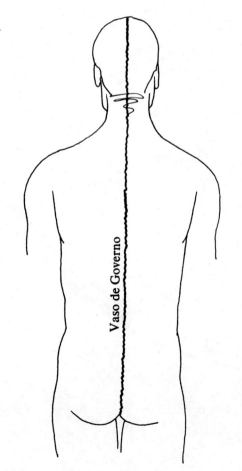

Vaso de Governo

Nasce entre a ponta do cóccix e o ânus, segue pela linha central das costas, nuca, cabeça e face — terminando na gengiva da arcada superior. Comanda os meridianos yang. É relacionado às funções do sistema nervoso central.

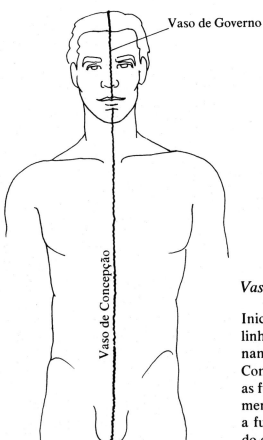

Vaso de Concepção

Inicia-se entre o ânus e o sexo, sobe em linha reta pela frente do tronco, terminando entre o queixo e o lábio inferior. Comanda os meridianos yin. Age sobre as funções genito-urinárias (no seu segmento que vai do ponto 1 ao umbigo), a função digestiva (do umbigo à base do esterno) e a função respiratória (da base do esterno ao queixo).

KYO E JITSU NOS MERIDIANOS

As características físicas e psicológicas relacionadas aos desequilíbrios dos meridianos são relativas e variáveis. Essa lista não deve ser considerada de forma absoluta, mas como uma maneira de aprofundarmos nossa compreensão sobre as funções dos meridianos.

MERIDIANO   *DESEQUILÍBRIO*

PULMÃO
Kyo
- Pouca sociabilidade, supersensível a críticas, falta de energia ki, ansiedade. Possível colapso mental quando sob pressão.
- Respiração curta, resfria-se facilmente, tosse, inflamações no sistema respiratório. Dificuldades de eliminação — tendência a acumular peso.

Jitsu
- Ansiedade obsessiva, respiração difícil.
- Tendência a produzir muito muco (catarro) — congestão nasal, resfriados, tosse, espirros, dor torácica, bronquite, asma, constipação. Tensão nos ombros.

MERIDIANO	DESEQUILÍBRIO

INTESTINO GROSSO

Kyo
- Mentalidade negativa, desaponta-se facilmente.
- Propensão à diarréia, ou constipação. Erupções, congestão nasal, corpo frio — tendência a tiritar.

Jitsu
- Insatisfação, isolamento interior.
- Constipação, gases, intumescimento do cólon descendente, tendência a se resfriar, coriza, coceira na pele, corpo quente, dores nos pés. Relacionado à falta de exercício físico.

ESTÔMAGO

Kyo
- Propensão a buscar "o caminho mais curto" — comidas macias e frias, comer sem mastigar direito (ou com alguma atividade simultânea — como ler ou ver TV), refeições irregulares.
- Digestão lenta, pouco apetite, frio no estômago ou na frente do corpo, músculos pouco flexíveis, pernas cansadas.

Jitsu
- Pensa demais, ansioso para conseguir o que quer, obcecado, trabalha exageradamente, sempre apressado, neurótico, dorme mal.
- Hiperatividade gástrica — boca "estomacal", erupções na pele, gula, obstrução nasal ao acordar, tensão nas áreas do plexo solar e ombros.

BAÇO-PÂNCREAS

Kyo
- Ansioso, inquieto, mente fatigada, memória fraca, sonolência.
- Má digestão, gases, gosto seco e pegajoso na boca, come consumindo muitos líquidos.

Jitsu
- Cautelo e ansioso, tímido, intranqüilidade mental, pensa demais, tendência a se isolar.
- Ventre dilatado, hiperatividade gástrica, apetite irregular, gosto pegajoso na boca, ombros rígidos, movimentos incertos, corpo pesado.

CORAÇÃO

Kyo
- Falta de vivacidade, falta de força de vontade, depressão, ansiedade, angústia, timidez, nervosismo, *stress*.
- Tendência a palpitações, dificuldades respiratórias. Parte superior do hara fraca e tensa.

Jitsu
- Excitação emocional — risos e soluços. Histeria. Tendência à ansiedade e inquietação — que tenta manter sob controle.

MERIDIANO	DESEQUILÍBRIO

- Face avermelhada, sua muito (principalmente nas palmas das mãos), tensão e pontadas no peito e costelas, pele sensível, ombros doloridos, pouca flexibilidade física (especialmente na parte interna dos braços).

INTEST. DELGADO

Kyo
- Pensamento obsessivo ("pensa muito"), determinação, tristeza profunda, sensibilidade exagerada (se magoa com pequenas coisas).
- Propensão à anemia, magreza, má circulação, energia escassa, mau funcionamento intestinal, rigidez nas faces internas das coxas, tensões nos ombros, ciclo menstrual irregular.

Jitsu
- Obstinação, desassossego e inquietação, tendência ao "excesso".
- Faces avermelhadas, rigidez na nuca e no baixo-ventre, má digestão, funcionamento intestinal irregular, boca seca (falta de saliva), dor nos ombros e região lombar.

BEXIGA

Kyo
- Fadiga nervosa, medo, confusão mental. Pessoa que se queixa à toa.
- Mau funcionamento do sistema nervoso autônomo. Tendência a urinar freqüentemente. Frio e sensibilidade nas costas. Musculatura das costas fraca (tendência a se curvar). Sensibilidade nas pernas e baixo-ventre. Problemas na bexiga. Peso nos olhos.

Jitsu
- Agitação, *stress* nervoso, preocupação exagerada.
- Distúrbios urinários, rigidez e sensibilidade no baixo-ventre (área da bexiga), pouca flexibilidade na parte de trás das pernas, tensão na parte inferior da nuca e nos ombros, tensão e sensibilidade nas costas, *stress* do sistema nervoso autônomo.

RIM

Kyo
- Medo, pessimismo, desânimo, falta de motivação, depressão, nervosismo, falta de determinação, indecisão, cansaço psicossomático, mau relacionamento familiar, ansiedade.
- Inchação do corpo, dor ou frio na região lombar, pele enegrecida e sem elasticidade, mau funcionamento das glândulas endócrinas, problemas sexuais e com órgãos reprodutivos, falta de desejo sexual.

MERIDIANO   *DESEQUILÍBRIO*

Jitsu
- Impaciente, inquieto, trabalha compulsivamente, reclama demais, detalhista, obcecado por sexo.
- Propenso a ter distúrbios hormonais. Boca seca, sedento, urina escura, face de cor ligeiramente enegrecida. Tendência à estafa.

CIRCULAÇÃO-SEXO (MESTRE DO CORAÇÃO)

Kyo
- Pessoa intimamente triste, deprimida. Falta de amor próprio. Pouca energia. Não consegue realizar projetos. Pessoa inquieta mas aparentemente tranqüila. Pessoa "desligada".
- Palpitações, taquicardia, dificuldade em respirar, sensação de pressão no tórax, pressão baixa, má circulação, dor no estômago, pouca resistência.

Jitsu
- Pessoa inquieta, emotiva, exageradamente sensível, dispersa no trabalho, propensa a oscilações emocionais, nervosa quando em público.
- Palpitações, taquicardia, pressão alta, má circulação, tensão no plexo solar, mau hálito, dor de cabeça, pouca resistência física.

TRIPLO AQUECEDOR

Kyo
- Falta de energia, lassidão, estado emocional influenciável por variações climáticas (calor, umidade, frio, chuva, etc.). Pensa muito (cansa de "tanto pensar").
- Mau funcionamento do sistema linfático, pele, mucosas e olhos sensíveis, propenso a ter alergias, dor de cabeça, sensível a mudanças de temperatura — resfria-se facilmente, sensação geral de frio e fraqueza.

Jitsu
- Tensão, cautela exagerada, irritabilidade provocada por alterações atmosféricas.
- Problemas linfáticos, suscetível a inflamações, tensão nos braços, ombros, pescoço e tórax, pressão na cabeça e olhos provocada por mau funcionamento circulatório.

VESÍCULA BILIAR

Kyo
- Falta de energia, cansaço, timidez, falta de "garra", propensão à insônia, nervosismo, irritabilidade.
- Anemia, falta de energia, cansaço ou fraqueza visual, olhos sensíveis à luz, cansaço e dor nas pernas e ombros, dificuldade em digerir alimentos gordurosos.

MERIDIANO	DESEQUILÍBRIO

Jitsu

- Irritação, impaciência, preocupação, fadiga, sempre com pressa.
- Tensão nos ombros, dor de cabeça, vista cansada e tensa, gosto amargo na boca, rigidez muscular, pernas cansadas ou entorpecidas, apetite irregular, olhos sem vida ou amarelados, sono atrasado.

FÍGADO

Kyo

- Falta de "garra" e determinação, se irrita com facilidade, nervosismo, mau humor, se sente confrontado e se descontrola por pequenas coisas, temperamento agressivo.
- Falta de energia, falta de energia sexual, propensão à intoxicação orgânica, vista cansada e sensível, má coagulação sangüínea.

Jitsu

- Obstinação, teimosia, trabalha impulsivamente — até a exaustão, desequilíbrio emocional, cólera, irritação.
- Mau funcionamento do fígado, má digestão, propensão à formação de gases no aparelho digestivo, dor de cabeça, problemas nos órgãos reprodutivos e urinários, cansaço físico, tendência a comer e beber em excesso.

CONCLUSÃO DO DIAGNÓSTICO

Após observarmos as zonas reflexas no hara e nas costas, as condições dos meridianos e certos pontos e áreas importantes do corpo, podemos concluir qual o meridiano ou meridianos mais desequilibrados. O conhecimento das características funcionais desses meridianos nos possibilita tirar algumas conclusões. Juntando essas conclusões com nossas observações visuais e intuitivas, chegamos a uma espécie de perfil físico-psicológico do paciente. Notamos quais de suas funções orgânicas estão desequilibradas, fragilizadas — onde normalmente "a corda arrebenta primeiro" nos casos de *stress* físico, mental ou emocional. A esse processo chamamos de diagnóstico.

Ao receber um shiatsu, o paciente naturalmente se conscientiza de alguns de seus desequilíbrios. Muitas vezes é produtivo conversarmos com ele a respeito do que percebemos — expondo-lhe nossa perspectiva de seus problemas. Como nosso entendimento é parcial e limitado, a atitude mais correta é a de compartilhar nossas observações e interpretações com o paciente, e nunca a de lançá-las sobre ele como verdades absolutas. Compreensão e aceitação das dúvidas e fraquezas da pessoa com quem estamos trabalhando é essencial para que ela se sinta à vontade para revelar-se. A compreensão e aceitação de outro ser humano estão diretamente relacionadas à compreensão e aceitação de nossa própria natureza humana — revelam o mínimo de maturidade necessária para reconhecermos que todos temos fraquezas, dúvidas e defeitos. Idéias de "perfeição", idealizações, apenas nos afastam de nossa verdade interior — e da possibilidade de vivermos em harmonia com nós mesmos. É a compreensão e aceitação do que somos que nos leva a um crescimento autêntico.

De qualquer forma não há necessidade de, na nossa introdução ao shiatsu, nos preocuparmos demasiadamente com diagnóstico, tonificação, sedação, etc. Tente, a princípio, sentir quais meridianos ou funções estão em desequilíbrio, sem se importar se esse desequilíbrio é kyo ou jitsu. Só experiência e vivência no shiatsu nos dão condições para irmos percebendo o real significado destes conceitos e, gradualmente, começarmos a utilizá-los de maneira significativa em nossa prática.

VIII. Tratamentos específicos

Um mesmo desequilíbrio apresenta reflexos no corpo, na mente e no sistema energético. Tradicionalmente a medicina focaliza o corpo, a psicologia a mente e a medicina oriental o sistema energético — que, por definição, atua sobre o corpo-mente.

A compreensão do desequilíbrio como um fenômento total — que afeta corpo, mente e energia — torna qualquer doença um acontecimento complexo — tão complexo que para a medicina oriental cada paciente é um caso único. A medicina ocidental, com seu processo de catalogar enfermidades e se preocupar basicamente em combater seus sintomas, é, comparativamente, muito mais simples. Mas a vida é complexa, e ocorre simultaneamente em vários níveis (energético, psicológico, emocional, etc.).

DESEQUILÍBRIOS EMOCIONAIS

Tentativas de se curar desequilíbrios emocionais através de drogas têm se mostrado não somente ineficazes como também perigosas — muitas vezes criando dependências nos pacientes que assim têm, a longo prazo, suas condições agravadas.

O processo de trabalhar emoções através do reequilíbrio energético é, para o paciente, árduo e demorado — por se tratar essencialmente de um processo de crescimento interno. Embora uma aplicação de shiatsu afete imediatamente qualquer desequilíbrio emocional de forma positiva, o paciente só se liberta definitivamente de seu desconforto interior se conscientizando e compreendendo o processo de seu desequilíbrio — com seus reflexos no corpo, na mente e no sistema energético. Através de uma conscientização real, o paciente se torna responsável por si, e as desejadas transformações começam a acontecer naturalmente.

Existe uma conhecida história zen que diz que, uma vez, um discípulo foi visitar seu mestre, que morava num local muito distante e isolado. No decorrer da visita o tempo se tornou chuvoso e o céu se fechou. Na hora do discípulo ir embora, era noite, e a escuridão total. O mestre então deu-lhe uma lamparina. Quando o discípulo se aproximava da porta de saída, o mestre pediu que ele esperasse, aproximou-se, pegou a lamparina e, com um sopro, a apagou. Diante da surpresa do discípulo, ele lhe disse:

— Seja uma luz em você mesmo.

Essa história é uma metáfora. Seu sentido é de que devemos utilizar nossa própria luz interior — ou seja, nossa consciência/inteligência, para nos guiarmos. Ela se baseia em palavras do próprio Buda, que uma vez disse: "Não aceite o que você ouve, não aceite tradição, não aceite o que está escrito nos livros — mesmo que esteja de acordo com suas crenças, ou com o que dizem seus professores... seja uma luz em você mesmo".[1] (Huston Smith, *The Religions of Man*).

É propósito do zen shiatsu colocar o paciente em contato consigo mesmo, assim aguçando sua autopercepção — ajudando-o a reconhecer sua "luz interior". Através da expansão e aprofundamento da consciência, a vida se torna mais gratificante, equilibrada e criativa.

CORPO, ENERGIA E EMOÇÕES

Emoções são respostas internas às situações e mudanças externas — fazem parte da natureza humana, e dão colorido à vida. As emoções, em si, não são problemas. O problema é lidar com elas. Nosso despreparo deve-se, em grande parte, a valores culturais — já que a razão é considerada superior à emoção. Somos desde cedo educados no preceito de que as emoções negativas são inadequadas — e mesmo as positivas freqüentemente são consideradas "fraquezas".

As emoções são, por natureza, passageiras. Quando tentamos bloquear uma emoção, tudo que podemos fazer é reprimi-la — empurrá-la para o subconsciente, para não ter que lidar com ela naquele momento. Na repressão, "congelamos" a emoção, que, ao se tornar estagnante, contraria sua natureza básica de movimento — automaticamente se tornando uma emoção desequilibrada. Esse procedimento se reflete imediatamente no corpo: como diferentes tensões musculares sempre acompanham determinadas emoções, ao não liberar a emoção também não liberamos as tensões associadas, que se tornam crônicas. Essas tensões crônicas formam uma estrutura rígida no corpo, uma espécie de "couraça" defensiva.

Emoções negativas — reações naturais à dor física ou psicológica — são pólos opostos das positivas. Uma pessoa que não se permite sentir emoções negativas, torna-se também incapaz de sentir as positivas. Em nossa tentativa de

(1) Ob. cit., p. 105.

não vivenciarmos a dor das emoções desagradáveis, nos encarceramos atrás de um muro de insensibilidade, e acabamos também fechados para os sentimentos de amor, prazer e afeto. Só na ausência de defesas podemos sentir e expressar nossa afetividade. Já a presença de defesas não só impede o fluir de nossas emoções, como interfere no funcionamento orgânico e no equilíbrio de nosso sistema energético. Sua existência está diretamente associada à sensação de ansiedade, que muitas vezes assume formas específicas — como ansiedade respiratória (falta de ar), cardíaca (taquicardia), digestiva (gastrite, úlceras), urinária (cistite), etc.

A repressão habitual de emoções nos torna depressivos — já que estamos constantemente tolhendo uma importante forma de expressão de nossa energia vital, e provoca enorme pressão interna, que eventualmente explode — atingindo as pessoas mais próximas, nem sempre causadoras diretas de nossas frustrações e emoções negativas. O "q" da questão é aprendermos a expressar nossas emoções de uma forma não destrutiva. Por isso o terapeuta sugere ao paciente raivoso socar e surrar uma almofada — que substitui o objeto de sua ira. Seu objetivo não é só fazê-lo liberar a emoção reprimida, mas também colocá-lo em contato com ela numa situação terapêutica (não destrutiva). É aprendendo a aceitar e a expressar nossas emoções de forma não destrutiva que passamos a conhecê-las e a nos relacionar com elas de uma maneira equilibrada, que não cause danos nem a nós nem aos outros. Só assim amadurecemos emocionalmente, e percebemos como nossas respostas emocionais são, em sua essência, apropriadas às situações que vivemos. Entender nossas emoções como amigas — e não inimigas — é o primeiro passo para aprendermos a confiar em nossa natureza humana.

Sempre que uma pessoa se encontra desequilibrada emocionalmente, perde a consciência do corpo — a tomada de consciência "esvazia" imediatamente a intensidade da emoção. No zen shiatsu agimos sobre as emoções despertando no paciente a consciência de seu corpo e reequilibrando seu sistema energético. Emoções fortes alteram o fluxo energético no corpo, e emoções reprimidas bloqueiam esse fluxo em determinadas áreas e pontos. Com a restauração do fluxo energético, muitas vezes sentimos essas emoções estagnadas "borbulharem" (o corpo do paciente pode literalmente começar a tremer) — prontas a "explodir". Qualquer expressão emocional que venha a acontecer durante a aplicação do shiatsu (choro, riso, etc.) deve ser permitida — já que representa uma descarga positiva para o paciente — e encarada com naturalidade.

De acordo com o ponto de vista oriental, existem alguns desequilíbrios emocionais básicos, fundamentais. Vamos estudar as emoções que provocam esses desequilíbrios — ver como elas afetam nosso sistema energético e o que podemos fazer para harmonizá-lo. Essas emoções primárias, no entanto, podem se combinar, criando-se condições complexas. As indicações feitas servem para relacionarmos os desequilíbrios emocionais fundamentais ao sistema energético. Chamam a atenção para determinados meridianos, mas a conclusão final é sempre atingida através do diagnóstico. Assim, o tratamento deve ser geral e não apenas limitado aos meridianos e pontos citados.

Raiva

Quando sentimos raiva, nossa energia ki flui, ou melhor, se precipita para cima — ao longo das costas, se concentrando nos ombros, pescoço, maxilares, cabeça e braços. Um fluxo de energia em determinada direção sempre implica alterações fisiológicas correspondentes.

Quando sentimos afeição ou atração por alguém, o sistema nervoso parassimpático é ativado (sistema parassimpático — p. 91). A musculatura relaxa e ocorre uma dilatação do sistema sangüíneo periférico — o sangue flui para a superfície do corpo. Em conseqüência, sentimos uma sensação de calor na pele, e o desejo de tocarmos e sermos tocados — a pessoa afetuosa é uma pessoa "calorosa". Se nos sentimos fisicamente atraídos, as zonas erógenas são intensamente irrigadas, causando a ereção do órgão masculino e o excitamento do aparelho sexual feminino.

Podemos então concluir que na afeição a energia flui para a superfície do corpo — concentrando-se nas zonas erógenas quando ocorre atração sexual.

Na raiva, no medo e em outras emoções negativas, o sistema nervoso simpático é ativado — é lançada adrenalina na circulação, o sangue abandona a periferia do corpo e flui para a musculatura, etc. (ver sistema simpático, p. 91). Por isso a pessoa se torna relativamente fria e insensível ao contato físico — todos sabemos que quando nos machucamos em uma situação de emergência, só vamos sentir a dor em toda a sua extensão mais tarde, quando o perigo houver passado.

Na raiva o sistema nervoso ativa (e o sangue flui para) a musculatura das costas, pescoço, braços, etc. — num movimento associado ao fluxo ascendente da energia ki. Dessa maneira ativa-se nosso mecanismo de ataque — bater, morder, etc. Esse fluxo para cima é tão forte que muitas vezes a face e os olhos se tornam avermelhados, e perdemos a capacidade de pensar claramente — devido à excessiva irrigação sangüínea do cérebro. Ficamos com a "cabeça quente".

O choro convulsivo é uma eficiente forma de descarga emocional — liberando também as tensões musculares e energéticas associadas. Outro canal de descarga para a raiva são os movimentos vigorosos ou violentos — a raiva se consuma na agressão. Por isso, podemos descarregar nossa raiva canalizando-a para atividades físicas vigorosas, como correr, fazer flexões, varrer a casa, cortar lenha, etc. O choro seria a descarga de natureza yin, e a violência a de natureza yang.

Tensões crônicas acumuladas nos músculos dos ombros, braços, pescoço e maxilares podem estar diretamente relacionadas à raiva reprimida. A melhor forma de lidarmos com tensões crônicas na área superior do tronco é através dos alongamentos dos braços e da rotação da articulação do ombro — o "moinho". Os tsubos dos ombros e escápulas (VB 21, ID 13, etc.), da base occipital (VB 20, etc.), das faces laterais do pescoço e da articulação dos maxilares (E 6) são particularmente úteis. Lembre-se de não "lutar" contra tensões — tente "seduzi-las", "convencê-las" a se dissolverem, ao mesmo tempo tonificando as áreas kyo a elas relacionadas.

Os meridianos de energia diretamente ligados à raiva são o do Fígado e o da Vesícula Biliar. Normalmente encontramos o meridiano do Fígado kyo ou jitsu e o da Vesícula jitsu. A repressão da raiva pode acarretar problemas como dores de cabeça, na vista, nas pernas e nos ombros, falta de determinação, falta de energia, exaustão, falta de energia sexual, irritabilidade, impaciência, dificuldades digestivas, etc.

Como a musculatura e o movimento de ataque acionados pela raiva estão relacionados ao instinto primitivo de obtenção de alimentos, essa emoção se encontra indiretamente ligada ao meridiano do Estômago. A repressão da raiva (e do grito de raiva) também afeta o diafragma, mantendo-o tenso e imobilizado, de modo que exercícios respiratórios e tsubos que ajudem a soltar esse músculo também podem ser utilizados.

Medo

O medo é a raiva de cabeça para baixo. Na raiva, queremos atacar o objeto causador de nossa dor ou frustração, com o intuito de destruí-lo ou fazer com que ele pare de nos incomodar. No medo, sentimos que o que nos ameaça é mais poderoso do que nós — por isso nosso organismo se prepara para a fuga. Tanto na raiva como no medo, o sistema nervoso simpático é acionado — no primeiro caso nos prepara para lutar, no segundo para fugir.

No medo e na raiva a energia flui em sentidos opostos — na raiva, para cima, no medo, para baixo. Quando sentimos medo, nossa energia desce, se escoa, na direção das vísceras inferiores (intestinos e bexiga) e das pernas. Ficamos indefesos, sem capacidade de enfrentar a situação de frente — queremos voltar as costas para ela e fugir. As pernas são "energizadas" para a fuga, e, em casos extremos, pode ocorrer incontinência urinária ou intestinal — daí dizermos "fulano se borrou de medo", e outras expressões do mesmo gênero. Essa incontinência ocorre, a princípio, para facilitar a fuga — já que, em momentos de extrema emergência, a bexiga e os intestinos cheios poderiam interferir na velocidade de nossa corrida.

No entanto, se a fuga não é possível, a energia fica presa nas costas, interrompendo-se seu fluxo descendente. Os ombros levantam-se, os olhos se arregalam, o ânus e a uretra se comprimem, o corpo todo se contrai e se torna trêmulo, antecipando a dor (física ou psicológica) da agressão iminente. Esse tipo de postura sugere, desse modo, medo reprimido.

Tradicionalmente, os meridianos envolvidos são o do Rim e o da Bexiga (que se situa nas costas e controla a eliminação da urina). Freqüentemente encontramos o meridiano do Rim kyo e o da Bexiga kyo ou jitsu. O meridiano do Rim está relacionado à ansiedade e obsessão medrosa — e conseqüente exaustão psicossomática, e o da Bexiga ao stress do sistema nervoso autônomo. O meridiano da Vesícula Biliar, por estar associado ao sentimento de cólera, também pode estar envolvido (negativamente) — sendo encontrado em estado kyo.

Podemos utilizar tsubos na região lombar (como o B 52) e glútea, nos ombros e parte posterior em geral. Shiatsu na cabeça ajuda a acalmar e centrar a energia. O trabalho no hara é especialmente importante para "recarregar" a energia geral. A respiração profunda (até o tanden) e consciente ajuda a equilibrar tanto o medo quanto a raiva.

Mágoa

A palavra mágoa significa, originalmente, mancha ou nódoa deixada na pele por pancada. O sentimento da mágoa se origina de uma dor ou decepção que nos é infligida por outra pessoa — normalmente alguém com quem temos alguma forma de ligação — e que não conseguimos aceitar, que deixa uma "marca" em nossos sentimentos. A mágoa é associada ao sentimento de perda. Essa perda se dá ao nível do ego — é mais interna do que externa, é mais subjetiva do que objetiva. Se um amigo querido morre, sofremos uma perda, nos sentimos tristes, ou inconformados, mas não magoados. Através de nossa tristeza, liberamos a dor dessa perda. Se ele nos rejeita, no entanto, sentimos mágoa. Perdemos a confiança na amizade ou amor dessa pessoa — e ela se torna objeto de nossa mágoa. Mais do que o amigo, sentimos a perda do sentimento de confiança e amizade — nos sentimos traídos.

Quando sentimos mágoa, nossa energia ki se dissipa. O corpo perde o vigor, a mente se acelera. Os pensamentos se tornam obsessivos, alimentando a dor e o sentimento de perda e de mágoa. Em casos extremos, a pessoa pode perder o sono, o apetite.

Os principais meridianos envolvidos são o do Pulmão e do Intestino Grosso. A mágoa acumulada afeta esses meridianos, e torna a pessoa amargurada, com uma atitude negativa e desconfiada em relação às outras pessoas. Shiatsu no hara é importante para tonificar o organismo. Podemos utilizar a área do meridiano do Pulmão nas costas, e o tsubo P 1 — que ajuda a soltar a musculatura peitoral (e o sentimento de opressão que aí se represa) e a respiração. O envolvimento com um trabalho intelectual ou artístico é muito terapêutico, já que canaliza o excesso de energia mental numa direção criativa.

Preocupação

Vimos anteriormente como a ansiedade está associada à presença de defesas, que se manifestam no corpo através de tensões musculares crônicas, e como ela pode assumir diferentes formas. A ansiedade emocional, por exemplo, está associada aos meridianos do Coração e Intestino Delgado. As ansiedades circulatória e respiratória, que podem assumir as formas de palpitações e falta de ar, estão associadas aos meridianos da Circulação-Sexo, do Coração e do Pulmão. A ansiedade medrosa relaciona-se aos meridianos do Rim e da Bexiga. O que aqui chamamos de "preocupação" é a ansiedade mental, que está primariamente relacionada aos meridianos do Estômago e Baço-Pâncreas.

A ansiedade mental "suga e solidifica" a energia ki. Quando estamos muito preocupados, ficamos, de fato, meio paralisados. Ficamos desconectados da realidade que nos cerca. Nossa energia é consumida pelos nossos pensamentos, e nos sobra muito pouca para a ação. Não conseguimos perceber e responder adequadamente às situações, já que nossas mentes se encontram "préocupadas" — e portanto não possuem espaço para as novas informações que a vida nos traz a cada momento.

O meridiano do Baço-Pâncreas é associado ao pensamento excessivo, e o do Estômago à ansiedade com reflexos negativos na digestão. Desequilíbrios kyo ou jitsu nesses meridianos são ainda relacionados às pessoas neuróticas, detalhistas, que comem sem sentir o sabor dos alimentos — com os músculos da testa, cabeça e ombros e plexo solar acumulando tensão. O meridiano do Intestino Delgado também pode estar envolvido — nesse caso será encontrado kyo.

Shiatsu aplicado nos tsubos do occipital (e da cabeça e face em geral), nos ombros, nos dedos das mãos e no hara é o tratamento particularmente indicado. O trabalho simultâneo hara-meridianos do Estômago e Baço nas pernas também pode ser empregado. Bem como pressões nos tsubos E 36 e VG 20. Atividades que envolvam movimentos expressivos, que liberem as tensões musculares e coloquem a pessoa em contato com o corpo (como dançar, fazer alongamentos), podem ser úteis para ajudá-la a "descer" da cabeça.

Excitação e instabilidade emocional

Emotividade exagerada é uma forma de desequilíbrio primariamente relacionado aos meridianos do Coração e Intestino Delgado. A energia ki se encontra semi-suspensa, e flui de forma desordenada. A pessoa se encontra continuamente "ligada" emocionalmente, "afogada" em suas próprias emoções, e é dada a oscilações — ri e chora à toa. Embora uma pessoa assim pareça "cheia de vida", esse é um estado que denota uma profunda inquietação e ansiedade espiritual — um incessante e impaciente "buscar" no mundo exterior o equilíbrio e contentamento que pertencem essencialmente ao mundo interior.

Os meridianos do Coração e Intestino Delgado podem se encontrar kyo ou jitsu. Normalmente em casos de fragilidade emocional se encontram kyo, e no de inquietação, jitsu. Em casos de superexcitação ou histeria o meridiano do Coração se encontra jitsu, e a área do plexo solar muito tensa. A área do plexo solar (e do hara em geral) é fundamental para equilibrarmos condições de emotividade exagerada. Podemos também tocar e pressionar os tsubos na base do occipital (VG 16, B 10, VB 20) com os dedos de uma mão, enquanto a palma da outra segura suavemente a fronte. Ainda particularmente úteis são o segmento do meridiano do Coração no antebraço e a área localizada no centro do tórax sobre o esterno, na altura da linha dos mamilos (centro psíquico da energia emocional).

Choque emocional

Quando vivemos uma situação para a qual não estamos psicologicamente preparados, podemos sofrer um abalo emocional. Nesse caso a energia ki foge para o interior do corpo e se congela. Ficamos amortecidos, desconectados do mundo exterior, insensíveis aos estímulos externos.

Sob o aspecto fisiológico, num estado de choque o organismo entra em profunda depressão — a pressão sangüínea baixa, os centros nervosos não reagem, a musculatura paralisa-se, a sensação é retirada da superfície do corpo. O organismo se auto-anestesia para proteger-se de uma dor (física ou psicológica) mais forte do que ele está preparado para suportar.

No dia-a-dia sofremos abalos que, se não nos imobilizam totalmente, nos tornam mais e mais insensíveis — as agressões que sofremos no cotidiano, a poluição e a sujeira do meio ambiente, a violência e neurose urbanas. Quanto mais impotentes nos sentimos diante de uma realidade externa que nos desagrada e nos agride, mais nos distanciamos dela e nos isolamos dentro de nós mesmos.

Pessoas estressadas e fragilizadas emocionalmente estão sujeitas a se abalar fortemente com um acontecimento ou notícia inesperados. Nesses casos, normalmente encontramos os meridianos do Coração e do Intestino Delgado kyo. O tratamento inclui não só esses meridianos, como também o do Vaso de Governo (VG 20), que é ligado ao sistema nervoso, e tsubos revitalizantes, como o VC 4, VC 6 e R 1.

CORPO, ENERGIA E SEXUALIDADE

Sexo é a própria raiz da vida. Nossa existência física se desenvolve a partir da atração e relação sexual de dois seres de sexos opostos. Cada célula de nosso organismo é sexual — todo nosso corpo evolui a partir de duas células sexuais básicas, uma masculina (o espermatozóide) e uma feminina (o óvulo). É comprovado cientificamente que, em estados de grande excitação, toda a superfície do corpo se torna uma vasta zona erógena.

No ser humano a sexualidade se torna particularmente complexa devido ao envolvimento de fatores psicológicos. O ato sexual para trazer satisfação plena e profunda depende não somente da capacidade física, mas também do envolvimento emocional e da capacidade de "descer" da mente e entregar-se totalmente à sensação. Observamos, inclusive, um paralelo entre sexualidade e meditação. Meditação significa "desligar" a mente e entrar no momento presente — o "aqui-agora". A idéia de que meditar implica em inatividade física é errônea. Existem várias técnicas dinâmicas de meditação. Os sufis, por exemplo, meditam dançando. As técnicas de meditação desenvolvidas pelo mestre russo Gurdjieff envolvem intensa atividade física. Meditação significa "não-mente" — a mente é que necessita parar, e não o corpo. A relação sexual contém, portanto, um potencial meditativo. Por isso, após um ato sexual pleno — que nos mobilize totalmente (física, emocional e psicologicamente), nos sentimos bem, com o corpo relaxado e a mente calma — os mesmos efeitos que observamos quando saímos de uma meditação profunda.

Energia sexual é energia vital, energia vital é energia sexual. O organismo enfraquecido, tenso ou deprimido tem sua potência sexual reduzida na mesma proporção que sua vitalidade se encontra reduzida. A pessoa saudável e satisfeita sexualmente é harmoniosa, cheia de vida e equilibrada emocional e psicologicamente. Equilíbrio psicológico e sexualidade estão diretamente relacionados — um reflete o estado do outro. Não é à toa que nomes marcantes da psicanálise, como Freud e Reich, deram, em suas obras, grande importância à sexualidade humana.

Tensão ou cansaço físico-psicológico-nervoso afetam adversamente a potência sexual (masculina e feminina). Por tudo isso, as condições da sexualidade de um indivíduo são extremamente reveladoras sobre seu estado geral.

No corpo, o estado da energia sexual se torna aparente no tanden (baixoventre), em especial no tsubo VC 4. Numa pessoa sexualmente sadia, esse tsubo, quando pressionado, se apresenta macio e flexível, e não dói. Dor ou tensão no VC 4 significa que, por razões fisiológicas ou psicológicas, a pessoa não está tendo uma vida sexual satisfatória. O tendão de Aquiles também reflete as condições da energia sexual do indivíduo — quando pressionado, não deve se mostrar flácido, tenso ou dolorido. Os tsubos nas faces interna e externa do calcanhar e o BP 6 estão relacionados ao aparelho geniturinário. Nas mulheres, fraqueza e dor na face interna das coxas estão associadas à pouca energia sexual, e tensão nessa área pode significar uma sexualidade reprimida.

Os meridianos dos Rins e Bexiga — que estão associados ao equilíbrio hormonal — são importantes para a saúde sexual. Jitsu nesses meridianos pode significar tensão emocional e no sistema nervoso autônomo. Os meridianos do Baço-Pâncreas (hormônios sexuais), do Fígado e Vesícula Biliar (manutenção e distribuição de energia) e do Triplo Aquecedor (circulação sangüínea periférica) também se relacionam à potência sexual.

Além das áreas e tsubos já mencionados, para equilibrarmos o funcionamento sexual utilizamos shiatsu no hara em geral e nos tsubos das nádegas, parte inferior da região lombar e sacro (onde os nervos genitais se concentram).

CORPO, ENERGIA E SINTOMAS

Alguns sintomas de desequilíbrios funcionais orgânicos desaparecem rapidamente com aplicação do shiatsu. Como qualquer disfunção afeta o sistema energético em sua totalidade, o melhor procedimento é sempre aplicarmos o shiatsu completo, de modo a trabalharmos e sentirmos todos os meridianos de energia. Como muitos sintomas se originam nos próprios hábitos do indivíduo, é através de um trabalho que o ajude a tomar consciência do corpo que ele se torna suficientemente sensível para alterar seu modo de vida e sua alimentação de acordo com as necessidades de seu organismo — atingindo assim as raízes de seus desequilíbrios.

No entanto, quando não dispomos de tempo suficiente, podemos realizar um trabalho resumido, que atinja os meridianos mais desequilibrados, os tsubos mais importantes, as áreas mais necessitadas. Veremos a seguir alguns exemplos de sintomas mais comuns, e os meridianos e tsubos a eles relacionados. A partir desses exemplos você pode, por si mesmo, desenvolver tratamentos para casos simples que surjam no dia-a-dia. Mas lembre-se que o objetivo essencial do shiatsu é restaurar o equilíbrio energético do organismo, e não tratar sintomas.

Dor de cabeça

Dor de cabeça é um sintoma que pode ser causado por um grande número de doenças — algumas delas sérias. Os tipos de dor de cabeça que reagem positivamente quando tratadas com shiatsu são as de origem psicossomática (ansiedade, *stress*, tensão psicológica), ou as causadas por distúrbios digestivos, tensão muscular e resfriados.

A dor de cabeça pode estar associada a desequilíbrios em diferentes meridianos. Dor na parte de trás da cabeça ou no canto interno dos olhos está ligada ao meridiano da Bexiga. Dor na parte de trás da cabeça e nas têmporas é relacionada ao meridiano do Triplo Aquecedor. Desequilíbrio no meridiano da Vesícula, associado ao mau funcionamento desse órgão, provoca dores nas têmporas e olhos. Dores de cabeça causadas por falta de exercício, constipação intestinal, resfriados, congestão nasal e facial correspondem às alterações nos meridianos do Pulmão, Intestino Grosso e Estômago — normalmente atingindo a região frontal da cabeça.

O tratamento depende dos meridianos afetados, mas shiatsu na cabeça, nuca e face ajuda muito. De acordo com o tipo de dor de cabeça, alguns desses tsubos quando pressionados, se mostram especialmente eficazes: Tai Yo; VB 1, VB 20, VB 21, F 3; TA 15, TA 23; B 2, B 10, B 60; IG 4, IG 10, IG 20; E 3, E 36, BP 6; e ainda, Ten Shi, VG 16 e VG 20.

Dores menstruais

Algumas mulheres sentem uma série de desconfortos em seus períodos menstruais. Esses desconfortos assumem a forma de cólicas e dores na região do baixo-ventre, dores de cabeça, nos seios, lombares, nas pernas, ansiedade. Shiatsu auxilia muito no alívio desses sintomas.

Os meridianos envolvidos são: Estômago (funcionamento dos ovários, ciclo menstrual), Baço-Pâncreas (hormônios sexuais, ansiedade), Intestino Delgado (circulação e tensão no baixo-ventre), Bexiga (funcionamento do útero e sistema nervoso autônomo), Rins (hormônios sexuais). Tratamento inclui shiatsu no sacro, nádegas, região lombar, região do baixo-ventre e nos meridianos das pernas. Atenção especial para os tsubos B 26, B 31 a B 34, Ten Shi, R 5, E 36, BP 6, VC 4 e VC 6.

Dores lombares

A região lombar é, estatisticamente, a área das costas que mais causa desconforto. Falta de atividade física, má postura, maneira de sentar imprópria, dormir em superfícies inadequadas, obesidade, mau funcionamento orgânico, exercícios físicos ou movimentos executados de forma incorreta, *stress* muscular, imperfeições na coluna são fatores que podem causar dores nas costas em geral — e em especial na região lombar.

O tratamento inclui shiatsu na região lombar, sacro e nádegas. Tsubos como o B 26, B 52, Ten Shi e VB 30 são importantes. Também trabalhamos o meridiano da Bexiga na parte posterior das pernas (B 37 e B 57), especialmente nos casos em que o nervo ciático é afetado. Alongamentos que atuem sobre a região lombar são muito importantes. Pressões nos pés, tendão de Aquiles e tsubos BP 6, R 1 e E 36 também podem ajudar. Shiatsu no hara simultâneo ao alongamento e rotação das pernas equilibra o funcionamento orgânico e relaxa a musculatura lombar. Trabalhe as costas com firmeza, porém suavemente. Suas pressões não devem intensificar as dores presentes, e sim aliviá-las.

Tensão, dor ou algum desvio na coluna na altura da 10ª, 11ª e 12ª vértebras torácicas estão relacionados ao meridiano do Baço-Pâncreas, na altura da 1ª e 2ª lombares ao meridiano do Intestino Delgado, na da 3ª e 4ª lombares ao meridiano dos Rins, e na região da 5ª lombar e sacro ao meridiano da Bexiga.

Resfriados

Os meridianos primariamente envolvidos em resfriados são os do Pulmão e Intestino Grosso. Shiatsu não cura resfriados, mas ajuda a aliviar o desconforto físico e a fortalecer a energia do organismo para que ele possa se recuperar rapidamente.

Shiatsu nos ombros, costas e nádegas relaxa e diminui dores no corpo. No hara tonifica o organismo. Na nuca, cabeça e face reduzem dor de cabeça e congestão facial. Pressão nos tsubos P 1, IG 4 e IG 10 atua sobre os meridianos afetados e sobre a função respiratória.

Através das técnicas de diagnóstico podemos perceber que outros meridianos necessitam ser trabalhados. Além disso, certos cuidados naturais têm de ser tomados — manter o corpo aquecido, descansar e alimentar-se de forma leve e saudável. No Oriente diz-se que o resfriado é a origem de todas as doenças. De fato, um resfriado mal cuidado pode levar a uma série de enfermidades mais graves. Para nos mantermos saudáveis, é importante sermos sensíveis ao corpo — e darmos a ele o que ele necessita.

Problemas digestivos

Há uma infinidade de distúrbios no sistema digestivo, um grande número deles relacionado ao estilo de vida do homem moderno. Ansiedade e *stress* psicológico e emocional, má postura (sentado e de pé), falta de exercícios e alimentação inadequada (refinada, mal balanceada, consumida em excesso ou com muita rapidez) são as principais causas. Esses distúrbios podem assumir a forma de má digestão, azia após as refeições, gases, gastrites, mau funcionamento intestinal (constipação, diarréia), apetite irregular (pouca fome, muita. fome, consumo excessivo de doces), náuseas, cólicas, distúrbios hepáticos, aftas, espinhas, peso no estômago e intestinos, etc.).

Os principais meridianos envolvidos são o do Estômago (problemas gástricos, falta de apetite), Baço-Pâncreas (boca "pegajosa", digestão e apetite irregulares), Fígado (problemas hepáticos, apetite irregular), Vesícula Biliar (má distribuição de nutrientes, má digestão de gorduras, gosto amargo na boca), Intestino Grosso (constipação, diarréias ocasionais), Coração (tensão estomacal), Intestino Delgado (mau funcionamento intestinal) e Triplo Aquecedor (problemas nas mucosas gástrica e buca — aftas).

O tratamento consiste basicamente de shiatsu nas costas e no hara. Shiatsu nos segmentos do meridiano da Bexiga nas costas é fundamental, devido à sua relação com o sistema nervoso autônomo, que controla o funcionamento dos órgãos digestivos. Os tsubos do meridiano da Bexiga mais empregados são os que se localizam na parte inferior da região torácica (B 18 e B 21). No caso de problemas intestinais, utilizam-se também tsubos na região sacrolombar. Alongamentos e pressão nos meridianos das pernas simultâneos à tonificação do hara (ver p. 149) produzem excelentes resultados. Pode-se aplicar shiatsu no lado do tórax e abdômen (com o paciente em decúbito lateral), que atinge o meridiano da Vesícula Biliar. Também úteis são os alongamentos que atingem a região lombar, e tsubos que estimulam a energia dos órgãos digestivos como o E 36, BP 6, IG 4 e IG 10.

Bibliografia

1. *Acupressure Way of Health — Jin Shin Do* — Iona Teeguarden, Japan Publications, Inc., Tóquio, 1979.
2. *Acupunture — The Ancient Chinese Art of Healing and How it Works Scientifically* — Felix Mann, Vintage Books (A Division of Random House, Nova York), 1973.
3. *Alongue-se* — Bob Anderson, Summus Editorial, 1983.
4. *Anatomia Básica dos Sistemas Orgânicos* — Dangelo e Fattini, Biblioteca Biomédica, Livraria Atheneu, 1984.
5. *Anatomia Humana Básica* — J. G.Dangelo e C. A. Fattini, Biblioteca Biomédica, Livraria Atheneu, 1984.
6. *Anatomy Coloring Book* — Wynn Kapit, Lawrence M. Elson, Harper & Row, Nova Iork, 1977.
7. *Anatomy for Students and Teachers* — Walter T. Foster.
8. *Apontamentos de Acupuntura* — Seção de Santa Catarina da Associação Brasileira de Acupuntura, 1977.
9. *Art of Sensual Massage, The* — Gordon Inkeles & Murray Todris, Londres, Urwin Paperbacks, 1980.
10. *Arte Cavalheiresca do Arqueiro Zen* — Eugen Herrigel, Editora Pensamento, 1984.
11. *Atlas de Anatomia Humana* — Heinz Feneis, Edit. Cultura Médica, 1979.
12. *Bioenergética* — Alexander Lowen, Summus Editorial, 1982.
13. *Book of the Secrets, The* — Bhagwan Shree Rajneesh, vol. 1 a 5, Rajneesh Foundation, Índia, 1975.
14. *Chinese Massage Therapy* — compiled at the Anhui School Hospital/China, translated by Hor Ming Lee & Gregory Whincup, ed. Shambhala, Boulder, U. S. A., 1983.
15. *Corpo em Depressão, O* — Alexander Lowen, Summus Editorial, 1983.
16. *Cura pelas Mãos ou A Prática da Polaridade, A* — Richard Gordon, Editora Pensamento, 1978.
17. *Do-it-Yourself Shiatsu* — Wataru Ohashi, a Dutton Paperback, Nova York, 1976.
18. *Do Jardim do Éden à Era de Aquarius — O Livro da Cura Natural* — Greg Brodsky, Ed. Ground, 1977.
19. *Elementos de Acupuntura* — Attilio Marins, Ed. Ground e Global Edit. e Distribuidora, 1979.
20. *Expansão e Recolhimento — A Essência do T'ai Chi* — Al Chung-liang Huang, Summus Editorial, 1979.
21. *Função do Orgasmo, A* — Wilhelm Reich, Editora Brasiliense, 1975.
22. *Livro de Acupuntura do Imperador Amarelo (Nei Ching), O* — Fernanda Pinto Rodrigues — Editorial Minerva, Lisboa, 1975.
23. *Moxabustão* — Tomio Kikuchi, Musso Publicações, 1979.
24. *Neuroanatomia Funcional* — Angelo Machado, Biblioteca Biomédica, Livraria Atheneu, 1985.
25. *Pratique de la médicine manuelle, La* — J. E. H. Niboyet, Maisonneuve, Paris, 1968.
26. *Prazer — Uma abordagem criativa da vida* — Alexander Lowen, Summus Editorial, 1984.
27. *Psychic Massage* — Roberta DeLong Miller, Harper Colophon Books, Nova York, 1975. (Edição brasileira: *Massagem Psíquica*, Summus Editorial, 1979.)
28. *Que é a Acupuntura* — David S. Sussmann, Edit. Record, 1972-1973.
29. *Religions of Man, The* — Huston Smith, Perennial Library, Nova York, 1965.

30. *Shiatsu — Japanese Finger — Pressure Therapy*— Tokujiro Namikoshi, Japan Publications, Inc., Tóquio, 1981.
31. *Shiatsu Meridian Chart* — Shizuto Masunaga, Iokai Shiatsu Center, Tóquio, 1970.
32. *Shiatsu — Japanese Finger Therapy* — William Schultz, Bell Publishing Company, Nova York, 1976.
33. *Shiatzu — Japanese Finger Pressure for Energy, Sexual Vitality and Relief from Tension and Pain* — Yukiko Irwin, James Wagenvoord, Routledge & Kegan Paul, Londres, 1977.
34. *Tao Te Ching* — Ch'u Ta-kao, George Allen and Unwin Ltd., Londres, 1937.
35. *Tao-Te-King — O Livro do Sentido da Vida* — Lao Tse, traduzido por Norberto de Paula Lima, Hemus Editora Ltda., 1983.
36. *Tsubo — Vital Points for Oriental Therapy* — Katsusuke Serizawa, Japan Publications, Inc., Tóquio, 1977.
37. *Yellow Emperor's Classic of Internal Medicine* (*Chuang Ti Nei Ching Su Wen*), *The* — trad. Ilza Veita, University of California Press, 1970.
38. *Zen Buddhism* — D. T. Suzuki, Anchor Books, Nova York.
39. *Zen Shiatsu* — Shizuto Masunaga with Wataru Ohashi, Japan Publications, Inc., Tóquio, 1981.

SOBRE O AUTOR

Mário Jahara-Pradipto, nascido em São Paulo, estudou durante quatro anos nos Estados Unidos, além de ter recebido treinamento na Índia em técnicas de terapia corporal. É terapeuta corporal licenciado pelo estado da Califórnia. Desde 1979 dedica-se ao ensino do Shiatsu, já tendo ministrado cerca de 50 cursos no Rio de Janeiro, Belo Horizonte e Santiago (Chile). Tem participado também de simpósios e palestras.

Além disso, durante os anos de permanência nos Estados Unidos estudou também artes plásticas e música.

Atualmente, ministra os seguintes cursos no Rio de Janeiro: Zen Shiatsu, Shiatsu tradicional, Tantra Shiatsu, Polaridade, Reflexologia. Dá também um curso adiantado de Zen Shiatsu.

César Lobo Craveiro, o ilustrador, dedica-se à ilustração publicitária e a histórias em quadrinhos, estando também radicado no Rio de Janeiro.

www.gruposummus.com.br